JN011957

図解

使える心理学大全

植木理恵

はじめに
毎日の生活ですぐに使える心理学

仕事や家庭、恋愛のことで悩んだときに、「相手の心がわかったら？」と思ったことはありませんか。

またネガティブ思考に陥ったり、やる気がでないときに、自信を取り戻し、モチベーションを上げるコツを知っていれば、生き生きとした毎日を送ることができるようになります。

もちろん１００％ではありませんが、心理学を学ぶことで、相手のしぐさや言動からその心をくみ取ったり、自分の心を上手にコントロールするための知識が身につきます。コミュニケーションの円滑化とセルフコントロールの両面で、私たちの生活を豊かにしてくれる知恵を手に入れることができるのです。

この本では、体系的に心理学をまとめることよりも、このような日常生活の各場面で実践的に使える心理学的テクニックの紹介に重点を置いて解説しています。

Ｃｈａｐｔｅｒ　１〜４はビジネスに使える心理テクニック、Ｃｈａｐｔｅｒ　５〜７は恋愛に役立つ知恵、Ｃｈａｐｔｅｒ　８〜10は、セルフコントロールと心のトラブルのメカニズムを取り上げています。

仕事からプライベートまで、毎日の生活を少しでも楽しく豊かにするために、心理学の知識を役立てていただけたら、嬉《うれ》しい限りです。

植木理恵

※本書は２０１６年５月に小社より刊行した『図解 使える心理学』を、改題の上、加筆・再編集したものです。

目次

Chapter 2 職場で使える心理学〈スキル・アップ編〉

Chapter 3 職場で使える心理学〔会議・交渉編〕

Chapter 4 職場で使える心理学〔セールス編〕

Chapter 5 恋愛で使える心理学〔出会いとアタック編〕

Chapter 6
恋愛で使える心理学〔交際編〕

Chapter 7
恋愛で使える心理学〔恋愛トラブル編〕

Chapter 9

心の闇の心理学〔様々な障害〕

Chapter

10

トラブルから守る心理学〔自己防衛の知識〕

装丁　寄藤文平＋古屋郁美／本文デザイン　浜名信次／編集協力　平松洋・高関進
イラスト　谷口シロウ／写真撮影　池田大成／校正　石井三夫

Chapter

0

ツールとしての心理学

〔心理学とは?〕

心理学とは？

なぜ、心理学を学ぶのか？

人の心を推し量ることができる心理学は、現代社会においてコミュニケーションを円滑にするだけでなく、よりよい選択をし、人生を豊かにするためのツールである。

人は、どういう状況で何を考え、行動し、成長していくのか。集団はどういう状況でどう動くものなのか。男と女はどう違うのか？　こうした心の働きや法則がわかると、様々な場面で、役立てることができます。たとえば、**難しい人間関係や、ビジネスでの交渉、恋人とのやり取りなど、他人の心がわかれば、コミュニケーションを円滑にし、様々な「駆け引き」に悩まされることもなくなる**でしょう。

心理学を学ぶことで、言葉やしぐさから他人の心をうかがい知ることができるのです。もちろん、100%読みとることができるというわけではありません。しかし、少しでもその手助けやヒントを与えてくれるツールが心理学だといえるでしょう。

実際の社会生活では、他人の言葉を額面通りに受け取るだけだと出し抜かれてしまいます。心理学は、そうした言葉や行動、しぐさによって相手が抱く「可能性の高い」心理を推し量ります。また、ビジネス・シーンでも相手の説得術や成績不振の分析など、様々な場面で、心理学を役立てることができます。

実は、すでに心理学は、あらゆる分野で活用されています。特に、**マーケティングから宣伝、販売まで、商業分野では当たり前のように心理学が応用**され、コンビニなどは消費を誘導する心理学的な仕掛けの宝庫といえるでしょう。**現代社会の中で、自分にとってより良い選択をし、人生を豊かにするためにも、心理学を学ぶ必要がある**といえるのです。

心の法則を見つける基礎心理学

基礎心理学

生理心理学

睡眠心理学
感情心理学
神経心理学

認知心理学

音楽心理学
人工心理学
人間工学
言語心理学
知覚心理学

学習心理学

進化心理学
比較心理学
行動心理学
知能心理学

基礎心理学では
心の法則を研究しています。

様々な分野で役立つ応用心理学

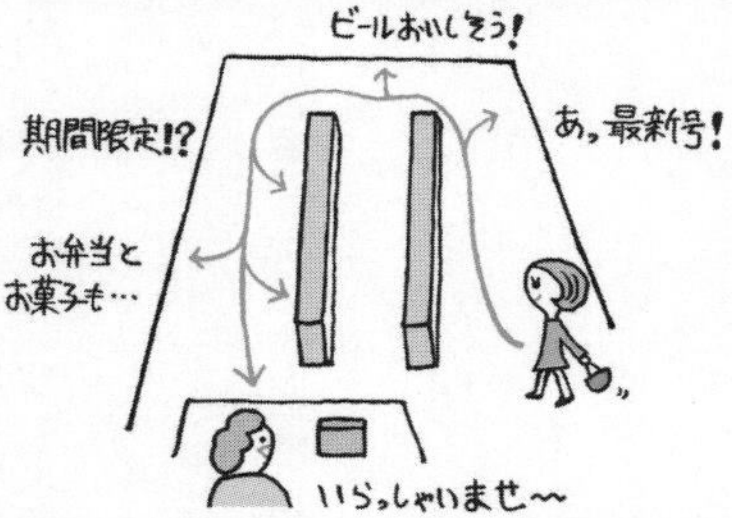
ビールおいしそう！
期間限定!?
あっ最新号！
お弁当と
お菓子も…
いらっしゃいませ～

応用心理学を学べば、たとえばコンビニの陳列方法など、売るための戦略が幅広く見えてきます。

応用心理学

社会心理学

産業心理学
経営心理学
広告心理学
政治心理学
交通心理学
災害心理学
裁判心理学
環境心理学

発達心理学

乳幼児心理学
児童心理学
青年心理学
老年心理学

人格心理学

人格心理学
犯罪心理学
異常心理学

教育心理学

障害心理学
道徳心理学
学校心理学

臨床心理学

カウンセリング
健康心理学
家族心理学
看護心理学
福祉心理学

心理学とは？

心理学は実証的な科学である

かつては哲学の一分野であった心理学が、学問として独立したのは19世紀後半のことで、科学的実証主義を重んじるヴントの実験心理学が創始とされる。

「心理学」が研究するのは、もちろん「心」です。しかし、「心」は触れられず、目にも見えません。「心」とは一体何なのか。これは古くからの疑問で、古代ギリシャの哲学者プラトンや、その弟子のアリストテレスも「心」(Psyche《プシュケー》)について考察しました。そのため「心理学」を最古の学問と言う人もいます。

ちなみに「心理学」(Psychology《サイコロジー》)と言う言葉は、ギリシャ語の「心」を意味するPsyche《プシュケー》と「論理」を意味するlogos《ロゴス》を組み合わせたものです。しかし、古代ギリシャにおける「心」は、今で言う「霊魂」に近く、それを扱うのは、「哲学」だったのです。

17世紀になるとデカルトやロックが心を研究しますが、いまだ哲学の一分野として研究されていたのです。

実は、心理学が1つの学問として哲学から独立したのは意外と新しく、19世紀後半とされています。

では、最初に心理学を独立させた「心理学の父」とは誰でしょう。そう聞かれて真っ先に思い浮かぶのは、フロイトやユング、最近、注目のアドラーでしょうか。

確かに、自我やリビドー、コンプレックスなどの概念は魅力的です。しかし、少し考えてほしいのです。「コンプレックス」を測定し、数値化した人がいるでしょうか。「科学」とは、頭の中で想定した概念を振り回すものではなく、統制した条件下で実験によって実証され、目に見える形での数値化が必要です。こう**した実験心理学を創始したのが、ドイツの心理学者ヴントで、彼こそが「心理学の父」と呼ばれています。**

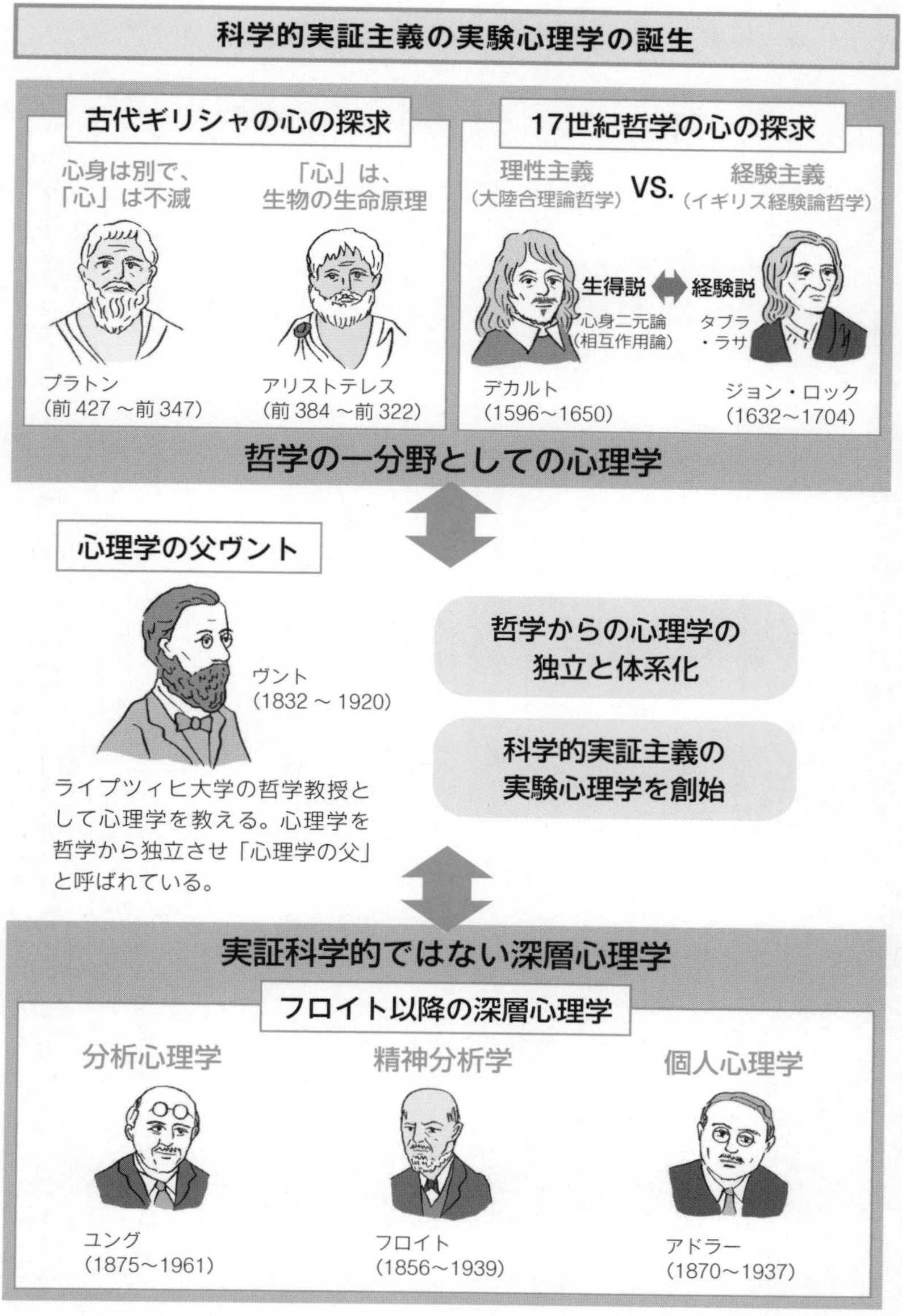
科学的実証主義の実験心理学の誕生
古代ギリシャの心の探求
心身は別で、「心」は不滅
「心」は、生物の生命原理
プラトン
(前427～前347)
アリストテレス
(前384～前322)
17世紀哲学の心の探求
理性主義
(大陸合理論哲学)
VS.
経験主義
(イギリス経験論哲学)
生得説
経験説
心身二元論
(相互作用論)
タブラ
・ラサ
デカルト
(1596～1650)
ジョン・ロック
(1632～1704)
哲学の一分野としての心理学
心理学の父ヴント
ヴント
(1832～1920)
ライプツィヒ大学の哲学教授として心理学を教える。心理学を哲学から独立させ「心理学の父」と呼ばれている。
哲学からの心理学の独立と体系化
科学的実証主義の実験心理学を創始
実証科学的ではない深層心理学
フロイト以降の深層心理学
分析心理学
精神分析学
個人心理学
ユング
(1875～1961)
フロイト
(1856～1939)
アドラー
(1870～1937)

心理学とは？

心理テクニックとして使える行動心理学

実証的科学主義を基本とし、多くの被験者からのデータによって心理的傾向や特徴を解明しようとする行動心理学。仮説として使用すれば、有効な心理テクニックとなるはずだ。

「心理学の父」は、実験心理学のヴントだと書きましたが、現代の「行動心理学」も、この実証的科学主義を基本とし、仮説と実験、その検証に基づいて理論を組み立てていく科学的な心理学です。たとえば、統制した条件下で被験者の正確な行動パターンを調べたり、何百人、何千人ものアンケートを行ったりして、そこで得た人間の心理的傾向や特徴を、比較、検証し、数値化することで、明らかな形で提示するものなのです。

つまり、科学的な根拠に基づいて人間一般に対する心理的傾向や特徴を解明しようとするのが行動心理学です。したがって、行動心理学の研究対象は、あくまでも人間一般に共通する普遍的な心理なのです。ですから、その意味では、個人個人の事情を考慮しないクールな学問ともいえるでしょう。

では、個人差を極力考えない行動心理学で人の心理を読み解けるでしょうか。確かに少ない人数だと個人差が大きく誤差がでます。しかし、就職の面接やお店のお客など多くの人々を扱う場面では有効であるばかりか、個人相手でも「仮説」として使用すれば良いのです。「左右非対称の顔の人はウソをついている」という公式を当てはめ、目の前の人のウソを見破れるかもしれません。また、行動心理学のS－R理論に基づけば、ある程度は、他者の心理や行動を操ることも可能だといえます。その意味では**行動心理学は、絶対ではありませんが、すぐに使える心理テクニックとして活用できる**のです。

科学的根拠に基づく行動心理学

仮説に基づく実験やアンケート

仮説：作為のある顔は左右で印象が異なる

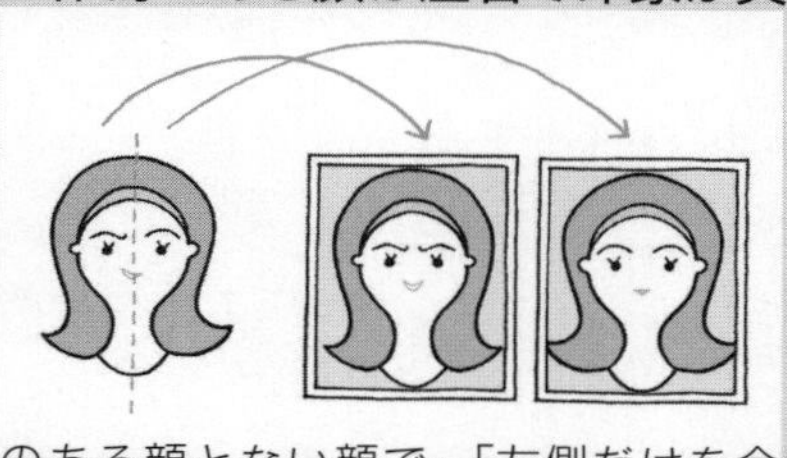

作為のある顔とない顔で、「左側だけを合成したもの」と「右側だけを合成したもの」をそれぞれ被験者に見せ、印象を尋ねる。

↓

数値化、比較、検証

作為があると左側により感情が表れる

作為のない顔だと左右対称

↓

人間一般に対する普遍的心理的傾向

↓

仮説として利用

↓

観察

↓

道具として有効な心理テクニックへ

Column 1

心理学を学び、なりたかった自分に近づこう！

生きているといろいろな問題にぶつかります。「嫌な出来事は早く忘れて、幸せになりたい。」誰しもそう思うはずです。ところが、覚えたいことはなかなか覚えられないのに、忘れたいことに限って、いつまでもくよくよ考えてしまいます。

周りを見回しても、幸せになるために努力し、いろいろと思い悩んでいる人より、イイカゲンに生きている人の方が、幸せをつかんでいるといった例が目につきます。

実は、何かを考えまいとすればするほど、脳裏にちらついたり、何かをうまくやろうとすればするほど、失敗したりするものなのです。心理学では、「メンタル・コントロールの皮肉過程」と呼ばれるもので、一生懸命に取り組むこと自体が、かえって苦悩を深めてしまうというもので、自己にストイックなメンタルトレーニングや自己啓発といった鍛錬が、逆効果につながるのはこのためです。

「人は『考える』ことなしに、『考えまい』とすることはできない」。私の尊敬する心理学者ウェグナー氏の言葉ですが、まさに、何かを忘れたいと考え続けることは、忘れたいことを逆に意識させてしまい、無駄な努力をしていたのです。こうした心理学的事実を解明し、自己といかに向き合い、他者との交流の中で、お互いに幸福感を生み出していくのかを教えてくれるのが「認知心理学」や「記憶心理学」だと考えています。

18頁で例にあげた「行動心理学」とともに、こうした心理学のエッセンスを学び、賢い考え方を身につければ、「なりたかった自分」に近づいていけるはずです。

Chapter

1

職場で使える心理学

〔人間関係編〕

第一印象を良くしよう！

初対面での相手の印象が強く心に残っていないだろうか。印象形成には、最初のものが影響を及ぼす初頭効果が知られていて、やはり、第一印象が大切なのだ。

就職の面接はもちろん、はじめての職場や営業の場面などで大切なのが、初対面での第一印象です。

相手がどういった人なのか推し量ることを心理学では「**対人認知**」と言います。この「対人認知」の中で、断片的な情報から全体的な印象が形作られる過程を「**印象形成**」と呼んでいます。

心理学者のアッシュは、この「印象形成」に関して次のような興味深い実験を行いました。架空の人物について、「知的な」「勤勉な」「衝動的な」「批判力のある」「頑固な」「嫉妬深い」という言葉を読み上げた場合は、「多少欠点もあるが、有能な人物」と評価されたのに対し、逆順で読み上げた場合は、「欠点があるため、能力を発揮できない人物」と評価されたのです。

つまり、印象形成には、最初のものが影響を及ぼす「**初頭効果**」が認められたのです。自分を謙遜して否定的な情報を相手に伝える前に、アピールできるポイントはできるだけ最初に伝えるようにしましょう。

この**第一印象があなたのイメージとなり、のちのちまでも強く影響を残す**可能性があります。なぜなら、人は自分が信じている情報を正しいと思いたいため、第一印象によって作られたイメージに合った側面だけを見るようになるからです。これが「**確証バイアス**」と言うもので、いったん、あなたに対するイメージが固まると、確証バイアスによって、そのイメージを壊すことが難しくなってしまうのです。第一印象は大切で良いイメージを与えるよう気を配りましょう。

印象の初頭効果

心理学者のアッシュが行った印象形成の実験

嫉妬深い	知的
頑固	勤勉
批判力がある	衝動的
衝動的	批判力がある
勤勉	頑固
知的	嫉妬深い

被験者に対し、同じ内容のものを逆順で読み上げる

欠点があるため能力を発揮できない人物

多少欠点もあるが有能な人物

同じ要素なのに、読み上げる順番が逆になると印象が全く違うことから、印象形成には、初頭効果が認められることが明らかとなった。

人間関係編

好印象は外見とハロー効果で

人からかわいがられ、好かれた方が仕事もスムーズに運ぶ。では、対人魅力アップにはどうすれば良いだろう。外見的魅力が大きいが、ハロー効果で好感度を上げることも可能だ。

人から好かれる方が、職場や仕事においても良いに決まっています。心理学では他人に抱く好き嫌いの感情を「**対人魅力**」と呼んでいます。では、対人魅力を高め、好印象を与えるにはどうすれば良いでしょう。

初対面のとき、男女ともに相手に魅力を感じやすいのは、やはり「**外見的魅力**」です。たとえば、アメリカで行われた「仮想裁判実験」で、５３０人もの男性に陪審員役になってもらい、被告とされた女性の顔写真を見て、刑を決めてもらいました。美人と不美人の場合で比較したところ一目瞭然で、美人の方が刑期は短く、賠償金も少なかったのです。逆に男性が犯人で、女性が陪審員役でも同様の結果が確認されていますが、これは**ステレオタイプ**によるものなのです。

ステレオタイプとは、あるカテゴリーの人たちに対する画一的な認知のことで、先入観をもとに文化的な影響を受けて形成されます。少ない情報で効率的な判断を行える利点がある一方、マイノリティに対して偏見や差別を生みだします。美人やイケメンが良い人に見えるのも絵本やアニメなどで善人は美しく描かれ、「美人は善人」というステレオタイプがあるからです。

ですから**身なりをきれいにしておくことが好印象の第一**ですが、容姿に自信がない場合は、印象形成のバイアス（歪《ゆが》み）を利用する手があります。人には、相手への評価を一貫させたい傾向があり、**何か1つの長所が全体の印象に影響する**「**ハロー効果**」（光背効果）を使うと自分をより良く見せられます。

美人に好意的な仮想裁判実験

530人もの陪審員役の男性に被告とされる女性の刑を決めてもらう仮想裁判実験。

	他者の判断	
	美人の場合	不美人の場合
雪合戦で友人をケガさせた7歳の女児	悪気のない事故だろう	悪質ないたずらだろう
交通事故の加害者の裁判	賠償金 5,500ドル	賠償金 10,000ドル
女性の強盗犯に対する裁判	懲役 2.8 年（平均）の判決	懲役 5.2 年（平均）の判決

ハロー効果（光背効果）で輝こう

名家の出や大企業の御曹司、ハーバード大学でＭＢＡ取得など、１つの長所がクローズアップされると、全てが輝いて見えるのが「ハロー効果」だ。容姿がダメでも、何か１つの長所をアピールすることで、全体の好感度を上げることが可能だ。

人間関係編

体は口ほどにものを言う

人はウソをつくとき、表情には意識を集中して悟られないようにする。しかし、体までは注意が行き届かないので、ウソを見破るには、体の動きに注目すべきだ。

人の本音はなかなかわからないものです。特にビジネス・シーンでは相手の言葉をうのみにしていては、裏をかかれる場合もあるでしょう。相手の言葉の真偽を確かめられればどんなに良いでしょう。

そこで注目したいのが、体の動きなのです。手や足の動きや視線の動き、顔の表情など、言葉以外のコミュニケーションを**ノンバーバル・コミュニケーション**（非言語コミュニケーション）と言います。実は、このノンバーバル・コミュニケーションには、言葉以上に本心が表れやすいのです。

アメリカの心理学者エクマンは、看護学生に楽しい映画と、手術シーンのある医療用映画を見せて感想を尋ね、「楽しかった」とウソを答えさせ、このときの顔と体の動きを別々に撮影しました。その後、顔を映した映像と体を映した映像をほかの人に見せたのですが、体を映した映像を見た人の方が、答えがウソだと見破ったのです。つまり、人は顔の表情を作るのに気を取られ体にまでは注意が及ばないため、**ウソを見破るには、体のしぐさを見るべき**なのです。

たとえば、デートで女性が「今日は一緒にいて本当に楽しかった」と口では言っていても、靴のつま先が出口の方を向いていたり、相手とは逆の方向を向いている場合は、早く帰りたい気持ちや、相手に関心がないことを表しています。次項目から、こうした様々なノンバーバル・コミュニケーションで相手の気持ちを知る方法を紹介していきましょう。

口ほどにものを言う体の実験

アメリカの心理学者エクマンは、手術シーンがある医療用映画を見せた後、「楽しかった」とウソを言わせ、その顔と体の映像を撮影。

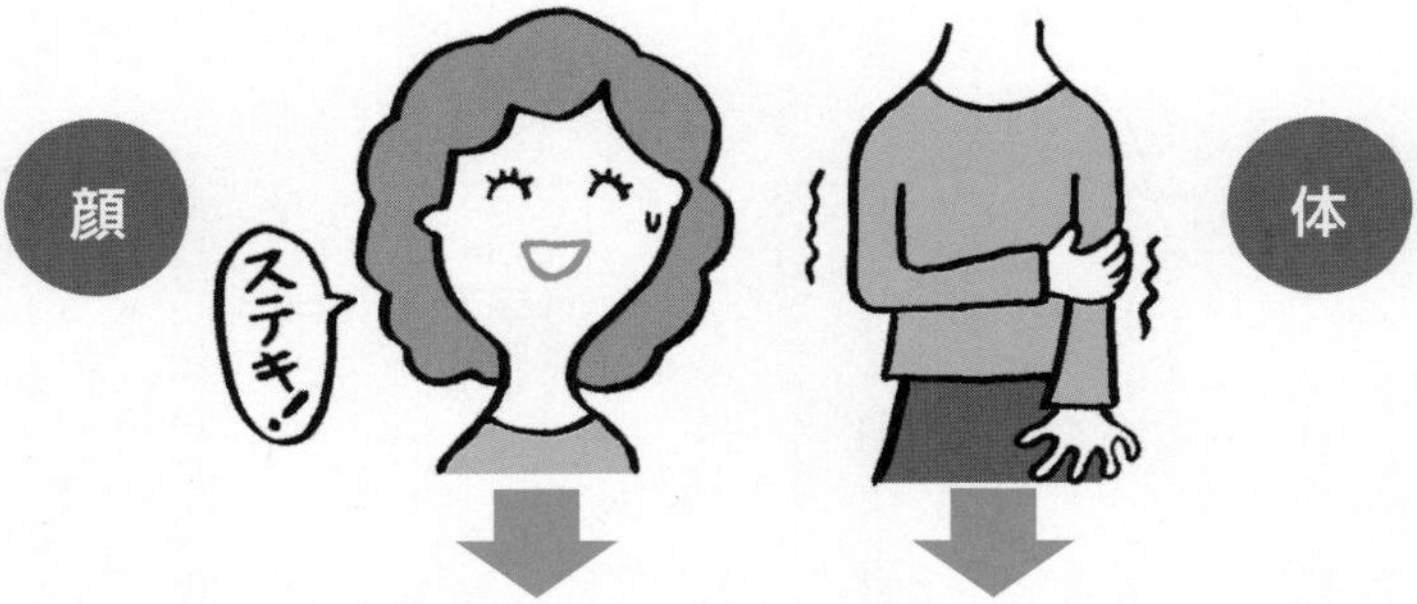

ウソを見抜けない　　ウソだと見抜ける

ウソだと見破ったのは撮影した体の映像を見た方

ウソを見抜くには体に注目！

つま先でわかる女性の心理

デートで女性が「今日は一緒にいて本当に楽しかった」と口では言っているが……。

靴のつま先が出口の方を向いているのは早く帰りたい証拠。

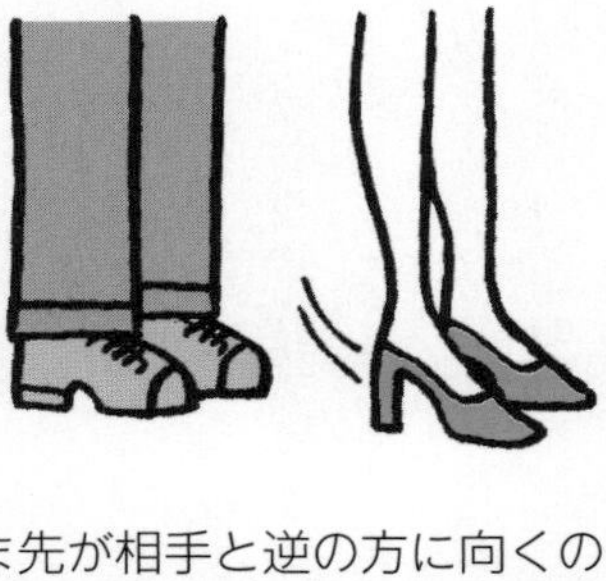

つま先が相手と逆の方に向くのは退屈か、相手に関心がない場合。

心を開くと脚も開く

身体動作の中でも、心の状態が表れやすいのが脚の動きだ。知らず知らずのうちに不安感や従順さが表れているだけでなく、座ったときの脚の組み方で性格までもわかってしまう。

人の心理状態を知りたいときには、相手の脚の動きに注目してみましょう。人は自分の気持ちを悟られたくないと思うと、その気持ちを相手に気づかせないよう表情をコントロールしようとします。このとき、表情ばかりに気を取られ、体への注意がおろそかになり、本音が表れるのです。こうした**身体動作の中でもその時々の心理状況が表れやすいのが脚の動き**だと言われています。

前頁では、言葉とは裏腹に、帰りたいときには、つま先の方向が、自然と出口に向いている例を紹介しましたが、両脚を広げて踏ん張っている姿勢は、「男らしさ」の誇示、逆に、脚を組んでいると、その人は「不安感」を抱いている可能性があります。

一方、アメリカの臨床心理学者ジョン・ブレイザーは、座っているときの脚の状態と性格に関連があることを明らかにしました。彼は、白人女性１０００人に脚の状態と性格との関連を分析したのです。

その結果、10の脚の組み方と性格的特徴が関連するとされました。たとえば、脚をぴったり閉じて座る人は、系統的に物事を整理したい秩序欲求の強い性格、脚をクロスさせて座る人は、養育欲求が強い性格、そして、膝をつけハの字に座る女性は達成欲求が高く、逆に膝を開き逆ハの字に座る女性は男性に対して積極的だとされました。会話に夢中になってついつい脚が開く女性も多く、**脚の開き具合は相手に対しての心の開き具合**であるともいえます。

脚の動きと心理状態

脚の動きで、どういった心理状態にあるかがわかる。

ビシッ
どし〜ん

「従順さ」を表明

「男らしさ」の誇示

「不安感」の表れ

脚の組み方と性格の関係

アメリカの臨床心理学者ブレイザーは、白人女性 1000人に座ったときの脚の状態と性格の関連を分析し、その関連を明らかにした。

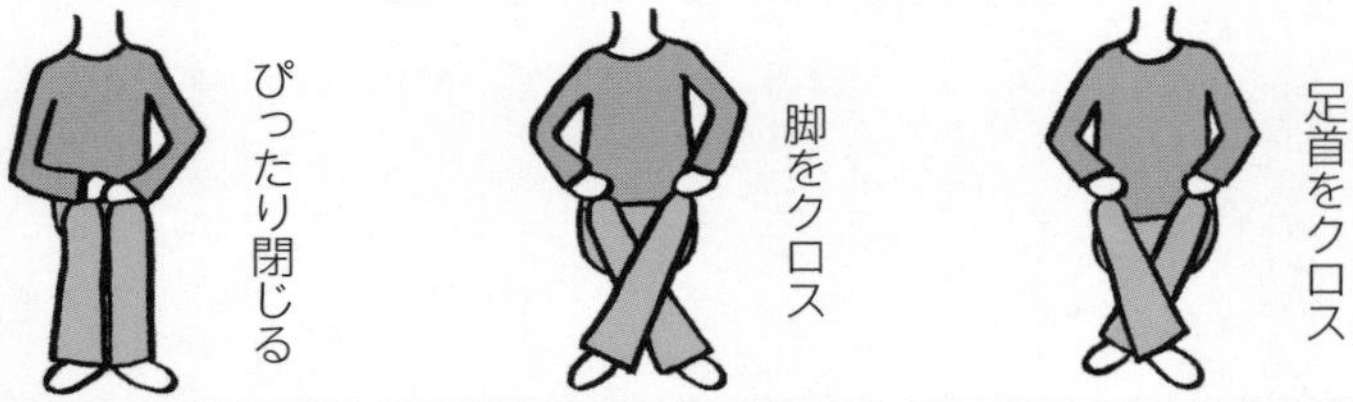
ぴったり閉じる
脚をクロス
足首をクロス

秩序欲求が強い

養育欲求が強い

屈辱・服従的

足首を膝にのせる
膝を開く
ハの字に開く

自己顕示的

男性に積極的

達成欲求が高い

人間関係編

手に表れるウソの心理

脚の動きとともに身体動作の中で、心の状態が表れやすいのが手だ。ウソをつくと、ばれる不安と緊張を鎮めるために手を使った「自己親密行動」がみられるのだ。

脚と同様に、心の状態が表れやすいのが手や腕の動きです。

たとえば、人がウソをつくとき、体の動きで大きな変化があるのが手の動きです。多くの人はウソをつくとき、手に落ち着きがなくなるのです。実際、膝の上にきちんと手を置いて、ウソをつくのは、かなり難しいものです。もし、目の前の相手が、急に手を盛んに動かしながら、饒舌《じょうぜつ》にしゃべり出したら、ウソをついているかもしれないと疑ってみるべきでしょう。

逆に本心を悟られたくないとポケットに手を入れたり、テーブルの下に手を隠したりします。また、ウソがばれないか不安や緊張を鎮めるために、無意識に顔や自分の体に触れたり、髪に触ったりします。

これは「自己親密行動」と呼ばれるものの1つで、髪や頭に触るのは、子どもの頃、撫でてもらった代償行為で、肘や腕を抱える腕組みなども、かつて抱いて安心させてもらったことの代償行為と考えられます。**ウソをつくと、不安や緊張が高まり、この自己をタッチすることで不安やストレスを低減させようとする**のです。

ちなみに、腕組みには、自分を守ろうとする心理や、自分の世界にこもって集中するときにも見られ、相手に自己防衛的でネガティブな印象を与えることがわかっています。また、こぶしを握って腕組みをする場合は、敵意や攻撃性を表し、部下を叱る以外は、ビジネスの場面では避けた方が良いでしょう。

ウソをついたときの手の動き

人はウソをつくと不安と緊張から以下のような手の動きがみられる。

盛んに手を動かしながら饒舌に話す	本心を悟られないように手を隠す	不安を鎮めるため髪や体に触れる

腕を組ませる２つの心理

人は、不安感が強いと「自己親密行動」の１つとして自分を抱くように腕を組んで不安や緊張を低減しようとする。一方、敵意が強いと、こぶしを握って腕を組み、威圧的態度をアピールすることもある。

防衛的　　**威圧的**

腕や肘をつかんで自分自身を抱くように腕を組む

こぶしを握って胸の前で腕を組む

表情認知で心を知れ！

人の感情は、顔の表情に表れるが、表情がそのまま本心であるとは限らない。感情とは違う表情を偽っている場合、顔の表情は左右非対称になり左側に感情が強く出る。

これまで顔の表情より、体の方が本心が表れやすいと書いてきましたが、もちろん顔の表情にもウソが表れるので注意して表情を観察すれば、ウソを見破ることができます。

アメリカの心理学者で表情と感情の関係を研究したポール・エクマンは人間の基本感情を「喜び」「恐怖」「嫌悪」「驚き」「悲しみ」「怒り」の６つとしました。同じく心理学者のハロルド・サッカイムは、このエクマンの基本感情の写真を左右に切り分け反転合成することで右だけからなる顔と左だけからなる顔写真を作りました。これを見た人たちの多くが、「喜び」以外は、左側の顔だけの写真の方が感情が強く表れていると指摘したのです。

実はエクマンがこの写真を撮るとき、「喜び」だけが、本当の感情を撮った写真で、あとは故意に演じられたものだったのです。このことから、**ウソで作られた表情は、左右非対称になり、左半分に表情が出やすい**ことがわかったのです。

たとえば、上司に自分の仕事の出来を聞いて、顔の左側だけに笑顔の表情が強く出ていれば、本心ではあまり喜ばれていない可能性があるのです。

また、作り笑いの場合、人は口元で作り笑いをすることは比較的簡単ですが、目元をコントロールすることは難しく、口が笑っていても目が笑っていなかったり、口元が先に笑い、遅れて目が笑う場合は作り笑いの可能性があります。

ウソの表情は左右非対称

エクマンによる６つの基本的な表情

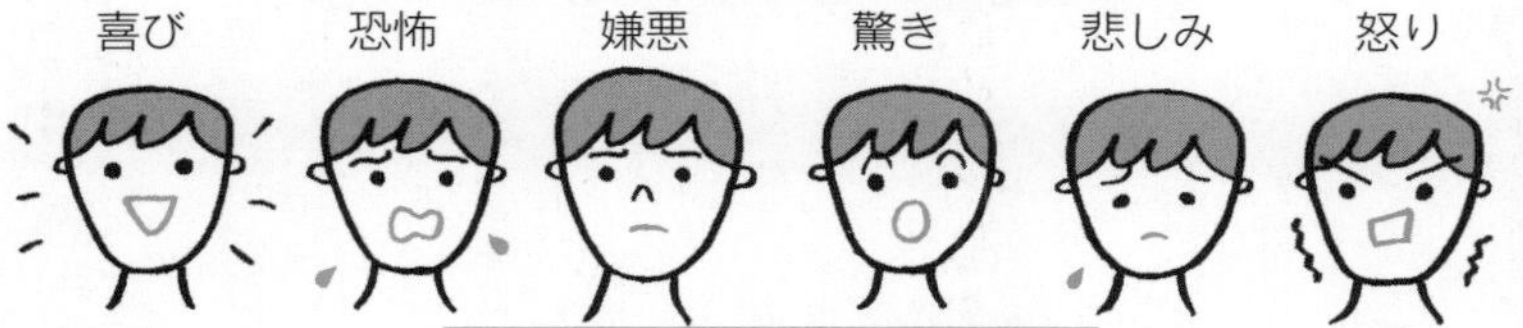
喜び
恐怖
嫌悪
驚き
悲しみ
怒り

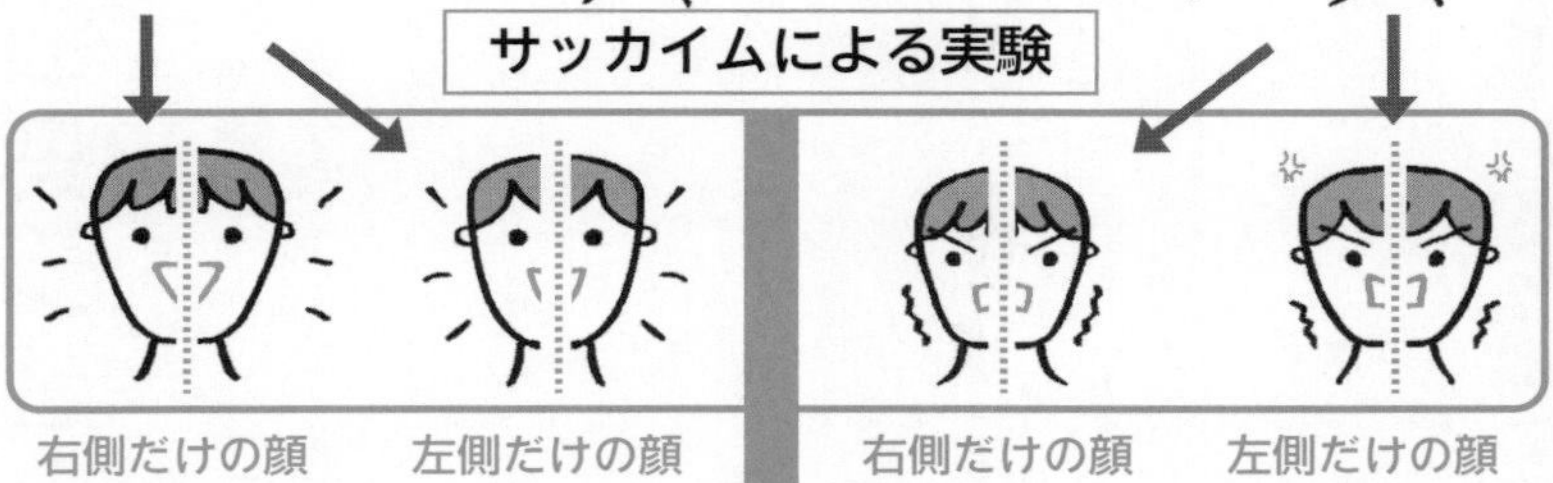
サッカイムによる実験
右側だけの顔
左側だけの顔
右側だけの顔
左側だけの顔

本当の表情を撮影していたのは喜びのみで左右が対称だった。

ウソの表情だった他の表情では、左側だけで作った顔に感情が強く出ていた。

自然な表情

- 左右対称
- どちらかに感情が強く出ることはない

作った表情

- 左右非対称
- 左側に感情が強く出る

ウソの表情は口元が先に笑う

先に口だけ笑う場合は、作り笑いの可能性が大きい。

先に口だけ笑う
後から目が笑う

人間関係編

目は心を映し出す鏡

良好な人間関係を構築するためにはアイコンタクトは欠かせない。また、NLPのアイ・パターンを知れば、視線の向きで、相手が今何を考えているかを推測できる。

「目を見れば相手がわかる」とか「目を見て話しなさい」とよく言われます。目が泳いでいたり、視線を合わせない相手とは、良好な人間関係を築くことができません。たとえば、サングラスや電話などで相手の目が見えない状況で知らない人物と話をするとき、もどかしさを感じたことはないでしょうか。

　その意味では、目と目を見合わせてコミュニケーションをとる**アイコンタクト**は、コミュニケーションの基本だといえます。心理学者のナップは、アイコンタクトの心理を、相手の反応を見たいとき、話しかけたいとき、好意を示すとき、敵意を示すときの4つに分類しました。私たちはこのアイコンタクトにより意思の疎通を図り、良好な人間関係を築いています。

　しかし、目を見ていればウソをつかれないわけではありません。人がウソをつくときは「目を合わせない」と思われがちですが、実際には、人は相手の目を見ながらでもウソをつけます。ただし、互いの目を見ていればウソを見抜くことができます。

　たとえば、心理療法の1つ**NLP（神経言語プログラミング）**では、目の動きで脳の視覚、聴覚、体感覚のどこにアクセスしているかを解析する**アイ・パターン**（アイ・アクセッシング・キュー）があると言います。**目が左上に向くときは過去の視覚体験を回想し、右上に向くときは、未体験のイメージの想像**とされます。したがって、過去の体験を尋ねているのに右上に目が向くときはウソかもしれません。

ナップのアイコンタクトの心理的意味

反応を確認したい
好意を示したい
話しかけたい
敵意を示したい

NLPのアイ・パターン（アイ・アクセッシング・キュー）

NLP（神経言語プログラミング）では、相手の目の動きから脳の視覚、聴覚、体感覚のどこにアクセスしているのかを解析。

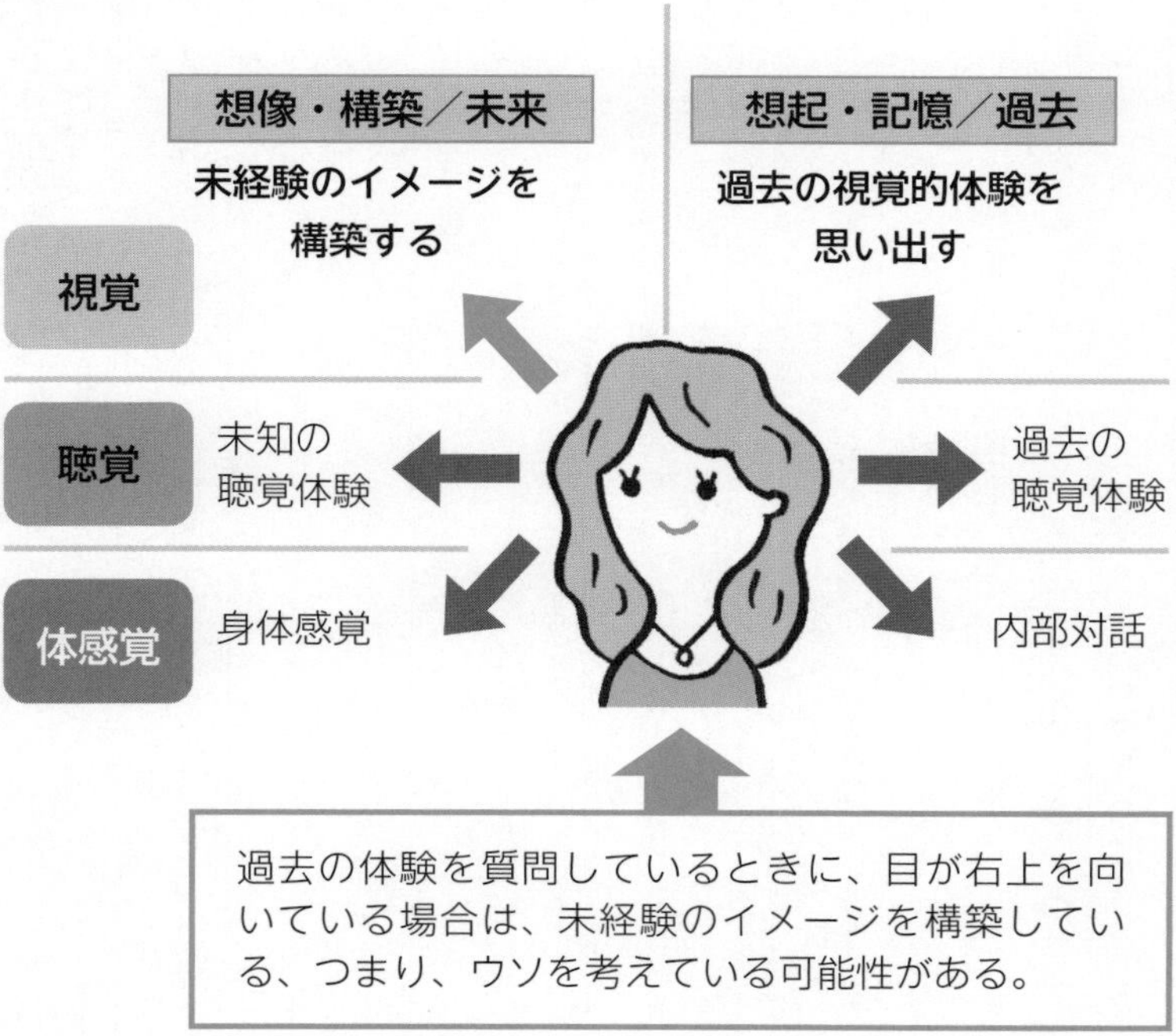
想像・構築／未来
未経験のイメージを構築する
想起・記憶／過去
過去の視覚的体験を思い出す
視覚
聴覚
未知の聴覚体験
過去の聴覚体験
体感覚
身体感覚
内部対話
過去の体験を質問しているときに、目が右上を向いている場合は、未経験のイメージを構築している、つまり、ウソを考えている可能性がある。

人間関係編

上司のタイプを見極めろ！

職場の人間関係で、大切なのが上司との関係だ。「上司に恵まれない」と愚痴をこぼす前に、上司のタイプをＰＭ理論で分析し、その行動パターンを理解しよう。

仕事をするうえで一番大変なのが、人間関係です。なかでも上司との関係は、現在の仕事ばかりか、将来の出世にも関わるので、良好な人間関係を築いておく必要があります。しかし、「上司に恵まれていない」とボヤきたくなる人が多いのも事実です。

実は、基本的に上司というものは無能なものだという説があります。南カリフォルニア大学の教育学者ローレンス・Ｊ・ピーターが提唱した「ピーターの法則」によると、能力主義の階層組織では、人は能力の限界点まで昇進してしまい、その段階で無能だから、それ以上は出世しない。つまり、その地位に甘んじている上司とは、基本的に無能な存在なわけです。したがって、上司の無能を愚痴るのではなく、基本的に無能な上司とうまく付き合いながら、自分の実績を積み上げていかなければならないのです。

そのためには、まず、上司がどういったタイプかを見極めることが重要です。リーダーシップが問われる上司のタイプには、社会心理学者の三隅《みすみ》二不二《じゅうじ》が提唱した「ＰＭ理論」による分類が有効でしょう。Ｐは、目標達成機能（パフォーマンス機能）、Ｍは、集団維持機能（メンテナンス機能）のことで、この機能の高低２つの掛け合わせから４つのタイプに分類できます。**理想の上司は両機能とも大のＰＭ型**でしょうが、仕事の内容や経営状態によっても変化します。自分の上司がどのタイプなのかを見定めて自分の立ち位置を考えることが必要でしょう。

ＰＭ理論による上司の４つのタイプ

社会心理学者の三隅は、生産性を高め目標を達成するＰ機能とメンバーを理解し集団を維持するＭ機能の高低から、４つのタイプを考える。

集団維持機能

高い

pM 型

部下の立場を理解し、面倒見は良いが、目標達成には問題が多く、生産性が低い。

PM 型

面倒見もよく、目標も達成するため、相乗効果で生産性も部下の満足度も高い。

低い

高い

目標達成機能

pm 型

目標達成のための意欲が低く、部下への理解や信頼もなく、生産性も低い。

Pm 型

生産性を上げるために部下を叱咤激励するが、部下の気持ちや立場を考慮しない。

低い

人間関係編

上司とうまくやる方法

上司に気に入られたい。自分を高く評価してほしい。心理学が言う「自己呈示」による印象操作の中で、人に「取り入る」行為の1つが「ゴマすり」で、これをうまく使えば有効である。

上司とは、仕事仲間であるとともに、自分に対して評価を下す人間でもあるのです。自分を評価する人間に対して自分を良く見せたい、自分を高く評価してほしいと思うのは当然のことです。こうした、自分を良く見せて相手の心証を良くすることを、心理学では**自己呈示による印象操作**と言います。

アメリカの心理学者ジョーンズとピットマンは、**自己呈示による印象操作を「取り入り」「自己宣伝」「示範」「威嚇」「哀願」の5つに分類**しました。そのなかで「取り入り」の1つに「お世辞」と「ゴマすり」を挙げています。

「課長、さすがですね」「やっぱり室長がいないとダメですね」と言われて嫌な気がする人はいないでしょう。人の欲求の1つに、周囲の人間から認められたいという「**自己承認欲求**」があります。上司はそれなりに経験を積んで、人の上に立った人なので、この「自己承認欲求」も高いと考えていいでしょう。また、「**好意の返報性**」もあります。お世辞でも好意を表明されると、その相手に好意を持ってしまうのです。しかし、口先だけのいい加減なほめ言葉だったり、陰で悪口を言っていたのが耳に入ったりすると、逆に外面だけの卑屈な人間とみなされ失敗することもあるので気をつけましょう。

自己呈示による印象操作は、コミュニケーションの1つの手法と考え、本来は仕事での成果を上司に見せるのが一番の高評価となるはずです。

自己呈示による印象操作の事例

ジョーンズとピットマンは、自己呈示による印象操作の事例を５つに分類。いずれも、期待が得られる場合もあれば逆効果の場合もある。

印象操作の事例	典型的な行為
取り入り	自己開示
	同調
	親切
	お世辞
	ゴマすり
自己宣伝	能力や業績をアピール
示範	自己否定
	援助
	献身的努力
威嚇	脅し
	怒り
哀願	自己批判
	援助の懇願

好意を期待

成功	失敗
好感を持つ	「卑屈なやつだ」

尊敬を期待

成功	失敗
高評価	「うぬぼれ屋め」

援助を期待

成功	失敗
哀感を持つ	「怠け者が」

上司に反対意見を言うには？

「社会的勢力」を持つ側にいる上司や役員に反対意見は、なかなか言えないもの。彼らに、うまく反対意見を言うためにはアサーションによる表現技法を学ぼう。

面と向かって上司や役員に反対意見を言うのは、難しいものです。会議などで「反対意見も歓迎だから、自由な発言を」と言われても、なかなか上司と反対の意見は言えないでしょう。これには、彼らが持つ「社会的勢力」が関係しているのです。

「社会的勢力」とは、相手に影響力を行使する潜在能力のことで、社会的な権力ともいえるものです。心理学者のフレンチとレイブンは社会的勢力を「報酬勢力」「強制勢力」「正当勢力」「専門勢力」「準拠勢力」の5つに分類しました。上司や役員は、このうち、報酬を左右する「報酬勢力」や、従わない者を降格や減俸に処する「強制勢力」を持つ側にいるため、なかなか反対意見を言えないのです。

しかし、反対意見は、相手を否定し、相手と対立するために言うものではありません。同じ課題に対して、より良い解決策を見つけるために、違った意見を提案するものなのです。

そこで、上司に反対意見を言うときのコツに、**アサーション**と言う表現技法があります。人は反対意見を言うときに、相手の立場を考えず、攻撃的になって自分の言いたいことだけを言ってしまいます（アグレッシブ）。逆に、自分を押し殺し、相手の立場だけを優先し主張しないと（ノンアサーティブ）、不満が募ります。そこで、**まずは上司の意見を肯定し、認めることで、相手を立て、その上で自分の意見を主張する**（アサーティブ）がベストです。

社会的勢力の分類

社会的勢力とは、相手に影響力を行使できる潜在能力のことで、フレンチとレイブンは次の５つに分類している。

勢力	内容
報酬勢力	報酬を左右する
強制勢力	罰をちらつかせる
正当勢力	正当な権利を主張
専門勢力	知識にものを言わせる
準拠勢力	他者に合わせさせる

アサーションによる主張の仕方を学ぼう

アサーションとは、「主張」を意味する言葉で、相手と自分の両者を尊重しつつ主張するコミュニケーション・スキルの１つ。

攻撃的　アグレッシブ

自分を中心に考え、相手のことを考えず、攻撃的に主張する。語調は優しくても、相手に逃げ場や選択の余地を与えず、主張を押しつける場合も含む。

非主張的　ノンアサーティブ

相手を中心に考え、自分の意見を押し殺してしまう。自分の意見を口ごもっていたり、言いそびれたりする場合もこれにあたる。

主張的　アサーティブ

相手も自分の意見も尊重して主張する。たとえば、「部長のお考えはもっともですが、このケースは特殊でして…」というように、相手に配慮しつつ自分の意見をしっかり主張する。

人間関係編

同僚とうまく付き合うには?

同僚と気さくに付き合えない人がいる。しかし、相手のことを良い人だと思い、自己開示していくと、予測の自己実現として、本当に同僚が良く見えてくるはずだ。

子どもの頃には、誰とでも仲良くしなさいと教えられてきましたが、会社の同僚でも、気の合う人間ばかりとは限らず、うまく付き合えなかったり、孤立してしまったりすることもあります。特に、同期入社は、ある意味ライバル関係にあり、「対人比較欲求」により、ついつい出世や社内での評価を気にして距離をとってしまうこともあるでしょう。また、部署内でひとり浮いてしまい、ランチタイムも、いわゆる「ぼっち飯《めし》」に甘んじている人もいます。

こうした人たちに共通しているのが、「自己開示」が少なく、最初から同僚に対し「どこか好きになれない」と思っていることです。22頁でも書きましたが、対人認知で大切なのは第一印象で、のちのちまで影響を残します。なぜなら、人は自分が信じている情報を正しいと思いたいため、**第一印象で悪いイメージを持つと悪い側面だけを見る**ようになり、これが「確証バイアス」となって同僚のイメージが固まっていくのです。たとえば、朝、挨拶をしても返事がないと、やっぱり自分を無視する嫌なやつだとなります。心理学ではこれを「予測の自己実現」と呼んでいます。

一方、逆に相手のことをいい人だと感じ、「自己開示」すると相手も好意を持ち、さらに、親切にすると、「好意の返報性」によって相手も好意を返し、良い面ばかりが目につき、「確証バイアス」によって良い人だとする「予測の自己実現」が成就します。**相手をいい人だと思い、自己開示していくことが必要**なのです。

第一印象による予測の自己実現

第一印象で相手のことを良い人だと思い、自己開示していくと、好意を持たれ、確証バイアスによって良い面ばかりが見えてやっぱりこの人は良い人なんだと予測が自己実現する。

1. 第一印象で良い人だと思う

↓ 対人認知

2. 相手にオープンになる

↓ 自己開示

3. 親切にして好意を持たれる

↓ 好意の返報性

4. 好意のお返しで確信する

↓ 確証バイアス

5. やっぱりこの人、良い人だ

予測の自己実現

いい人みたい
私、埼玉の川口出身なの
私も、埼玉だよ
企画書手伝うよ
残業付き合うね
やっぱりいい人だ

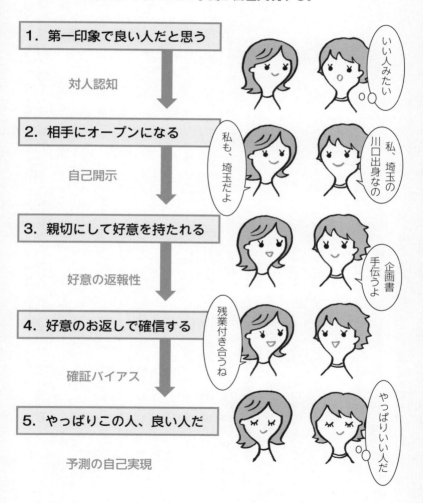

人間関係編

「最近の若手社員は」と言いたい心理

「最近の若いやつは」と言う人も、若い時代には上の世代からそう言われてきたのだ。世代論は、ステレオタイプ化するので傾向として把握するにとどめ、本人を客観的に見るべきだ。

「最近の若手社員はどうなっているんだ」なんて怒られた経験はないでしょうか。これは、最近言われていることではなく、いつの時代にも言われてきたことなのです。こう言いながら小言を言っている50代の上司たちも、若い頃には「最近の若者は『新人類』で何を考えているかわからん」と言われてきたのです。彼らの世代は、当時、管理職の「焼け跡世代」から見れば、訳のわからない世代として「新人類」と称されていました。

いつの時代も、管理職の世代は、「**対人比較欲求**」により、比較対象を若い世代に見いだし、「**自己承認欲求**」により、自分たちの世代が優れた世代であると思いたいために、批判してきたのです。

たとえば、好景気に青春時代を過ごした50代は「バブル世代」、バブルが弾け、就職氷河期に就活を行ってきた30代後半~40代を「ロストジェネレーション」、ゆとり教育で育った30代前半までを「ゆとり世代」と呼んでいます。それぞれ、**バブル世代はブランド志向でキャリア志向、ロスジェネは消費や結婚に消極的、ゆとり世代はIT環境が普及したデジタル・ネイティブで、現実的でルールは守るが打たれ弱い**と言います。

こうした世代論は、全体的な傾向として把握しておけばいいのですが、**ステレオタイプ**になりやすく、さとりだから夢がないとか、ゆとりだから能力が低いといった偏見を助長させます。**確証バイアスにとらわれず、その人の個性や能力を客観的に見てあげましょう。**

「最近の若者は」と言いたくなる心理

いつの時代も、管理職になる世代は「今の若いやつはダメだ」と言ってきた。これは、人と比べたい「対人比較欲求」と、自分を評価されたい「自己承認欲求」が結びついたものだ。

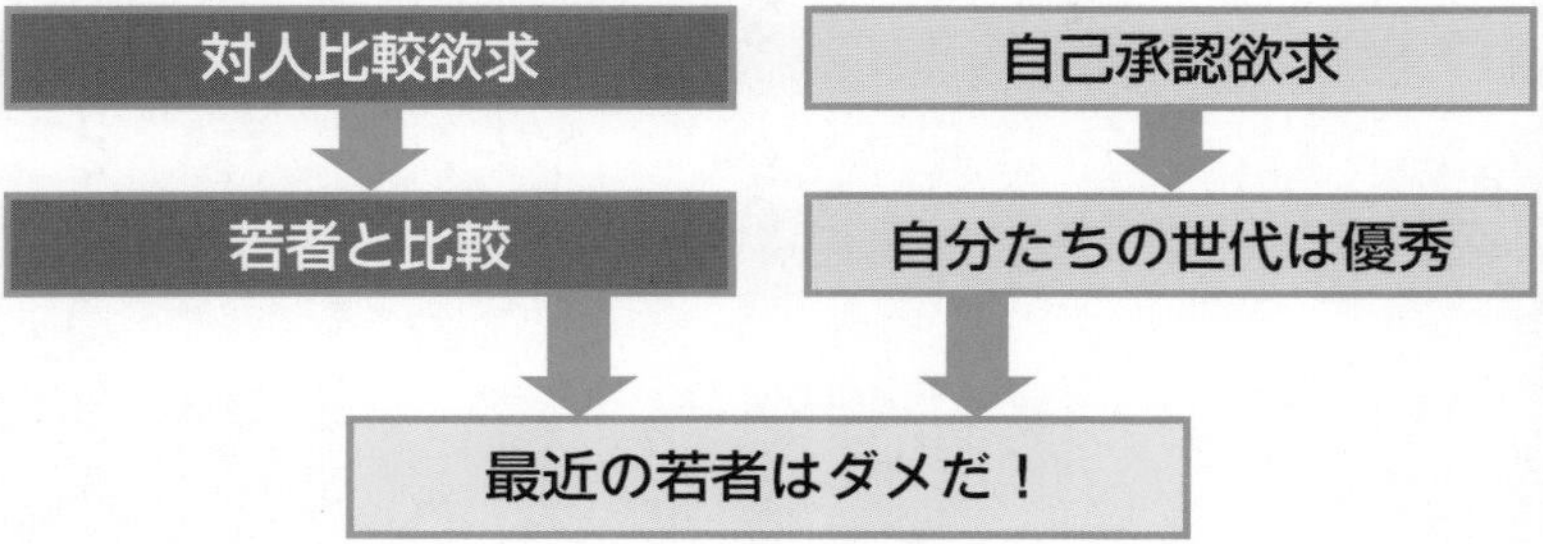
対人比較欲求
自己承認欲求
若者と比較
自分たちの世代は優秀
最近の若者はダメだ！

ステレオタイプとしての若者像

50代はバブル世代、30代後半～40代はロストジェネレーション（氷河期世代）、10代後半～30代前半はゆとり世代と呼ばれる。時代の経済や教育環境がその行動に影響を及ぼしているが、ステレオタイプ化して偏見で見てしまうより、1つの傾向として把握すべきだ。

バブル世代
ブランド志向
キャリア志向
ロスジェネ
堅実、質素
独身や晩婚が多い
ゆとり世代
デジタル・ネイティブ
打たれ弱い

部下とうまくやる方法

上司と部下といっても人間関係には対立や確執が付きもの。こうした対人葛藤に対処するには、様々な方法があるが、問題を直視し、とことん話しあうのが一番だ。

あなたが上司で、部下とうまくやっていくにはどういった対応が必要でしょうか。

とかく人間関係には対立や確執が起こるものです。心理学では、これを「**対人葛藤**」と呼んでいます。「対人葛藤」には、仕事の割り当てを巡る対立などの「利害葛藤」、仕事の方針や考え方の食い違いによる「認知葛藤」、営業マンはこうあるべきなのにといった行動規範に関する「規範葛藤」の3つに大別できます。しかし、その多くは、この3つの対人葛藤が単独で起こるのではなく、複雑に関連しあいながら起きるものなのです。

では、こうした対人葛藤が職場で起きた場合、上司としてはどのように対応すべきなのでしょうか。

アメリカの心理学者ブレイクと数学者ムートンは、対人葛藤の処理モデルとして、大きく5つのパターンを提唱しています。それが、問題を棚上げし、解決を先延ばしにする「回避型」、互いに譲歩し合う「妥協型」、互いの違いには目をつぶる「融和型」、互いの立場を主張しあい譲らない「固執型」、そして、納得するまでとことん議論する「問題直視型」の5つです。

このうち、部下との意見が対立したときに、固執型や回避型を選択した場合は、うまく処理できず、問題直視型を選択した場合が一番、円滑な処理ができ、部下との前向きな関係を築けることが知られています。

対人葛藤から逃げることなく、人間関係構築の良い機会ととらえ、真摯に対応することがベストなのです。

部下との葛藤処理モデル

対人葛藤を処理する方法を、アメリカの心理学者ロバート・ブレイクと数学者ジェーン・ムートンは、5つのパターに大別している。この中で最も前向きな人間関係が構築できたのは問題直視型だ。

回避型

問題を避けて、先送りする

妥協型

妥協点を見つけ譲歩する

融和型

互いの違いには目をつぶる

固執型

意見を主張しあい譲らない

問題直視型

納得するまでとことん議論する

人間関係編

部下の上手な育て方

ほめて伸ばすのか叱って伸ばすのか。心理学ではほめて伸ばすに軍配が上がっている。また、ほめるに際して、能力よりも努力をほめる方が新たな課題へ挑戦することが知られている。

叱咤《しった》激励と言う言葉がありますが、部下の能力を伸ばそうとするなら、叱るか、ほめるか、どちらが効果的なのでしょう。

アメリカの心理学者エリザベス・ハーロックは、小学5年生に、成績に関係なくほめる「称賛グループ」、成績に関係なく叱る「叱責グループ」、ほめも叱りもしない「放任グループ」に分けて5日間計算をさせました。その結果、「称賛グループ」が5日間続けて成績が上がり、「叱責グループ」は3日間は成績の向上が見られたものの失速し、「放任グループ」は最初だけ多少、成績が向上しただけで大きな変化がありませんでした。やはり「ほめて伸ばす」がおすすめで、これは「**エンハンシング効果（称賛効果）**」と呼ばれています。ほめられるとモチベーションが上がり、頑張ろうとして業績アップにつながるのです。しかし、その際に、**能力や才能をほめるよりも、努力やその過程をほめてあげましょう。**

なぜなら、アメリカの心理学者キャロル・ドゥエックは、数百人の子どもたちを対象に、ある問題を解かせ、2つのグループに分けました。1つのグループには、才能をほめ、もう1つのグループには、努力をほめたのです。そして、それぞれのグループに、新しい問題に挑戦するか、同じ問題を解くかという質問をしたのです。すると努力をほめた方が、新しい問題に挑戦すると答えたのです。部下をほめるときは、その努力をほめてあげるべきなのです。

エリザベス・ハーロックの実験

アメリカの心理学者エリザベス・B・ハーロックは、小学５年生を意識的にほめる称賛グループ、意識的に叱る叱責グループ、ほめも叱りもしない放任グループに分け５日間計算問題を解かせる。

称賛グループ	叱責グループ	放任グループ
５日続けて成績ＵＰ	３日続けて成績ＵＰ	最初少し成績ＵＰ

部下はほめて伸ばそう！

キャロル・S・ドゥエックの実験

スタンフォード大学の心理学教授キャロル・S・ドゥエックは、子どもたちに、才能をほめるグループと努力をほめるグループに分けて問題を解かせると、努力をほめたグループの方が新たな問題に挑戦すると答えた。

次は困難を避けたいと思う	次も頑張って挑戦しようと思う

部下の「努力」をほめてあげよう！

人間関係編

部下をその気にさせる方法

成功の期待がゼロでも100%でもやる気は出ない。部下にやる気を出させるためには、少し難しい仕事に挑戦させ、将来の成長を期待することが一番だ。

一生懸命ハッパをかけても、やる気にならない部下がいるものです。人の「意欲」は、できそうだと思う「期待」と、自分にとってのやりがいである「価値」に影響され、基本的に「**意欲＝期待×価値**」の公式で表されます。昇進がかかっているプレゼンでも、通りそうな期待がゼロだと、意欲もゼロになるのです。

では、確実に成功しそうな仕事だとやる気になるのでしょうか。心理学者のアトキンソンは小学生に輪投げをさせ、確実に成功する距離と、確実に失敗する距離、そして、中間の距離に輪投げを置くと一番選ばれたのが中間の距離でした。つまり、**その人にとって成功率50％ぐらいの難度の仕事を与え、挑戦させることが一番意欲を引き出す**ことになるのです。

ほかにも部下をその気にさせる方法があります。それは、**部下に期待をかけ、成功を信じる**ことです。

教育心理学者のローゼンタールらは、生徒たちに知能テストを実施し、成績とは関係なくある生徒たちを「将来学力が伸びる可能性が高い」と教師に報告しました。すると、1年後には実際に成績が伸びていたのです。つまり、先生が、伸びると予言された生徒に期待を込めて接した結果、生徒たちも期待に応えたのです。こうした「自己成就予言」を、自ら創った彫像が人間となって結婚したギリシャ神話の人物にあやかり「**ピグマリオン効果**」と呼んでいます。一方、逆に、**否定的な態度で接すると、自尊感情が低くなり、本当にダメになる**「**ゴーレム効果**」が知られています。

アトキンソンの実験

アメリカの心理学者ジョン・ウィリアム・アトキンソンは、確実に成功する距離と失敗する距離、その中間の距離の輪投げを小学生にさせたところ、中間の距離が最も人気があった。

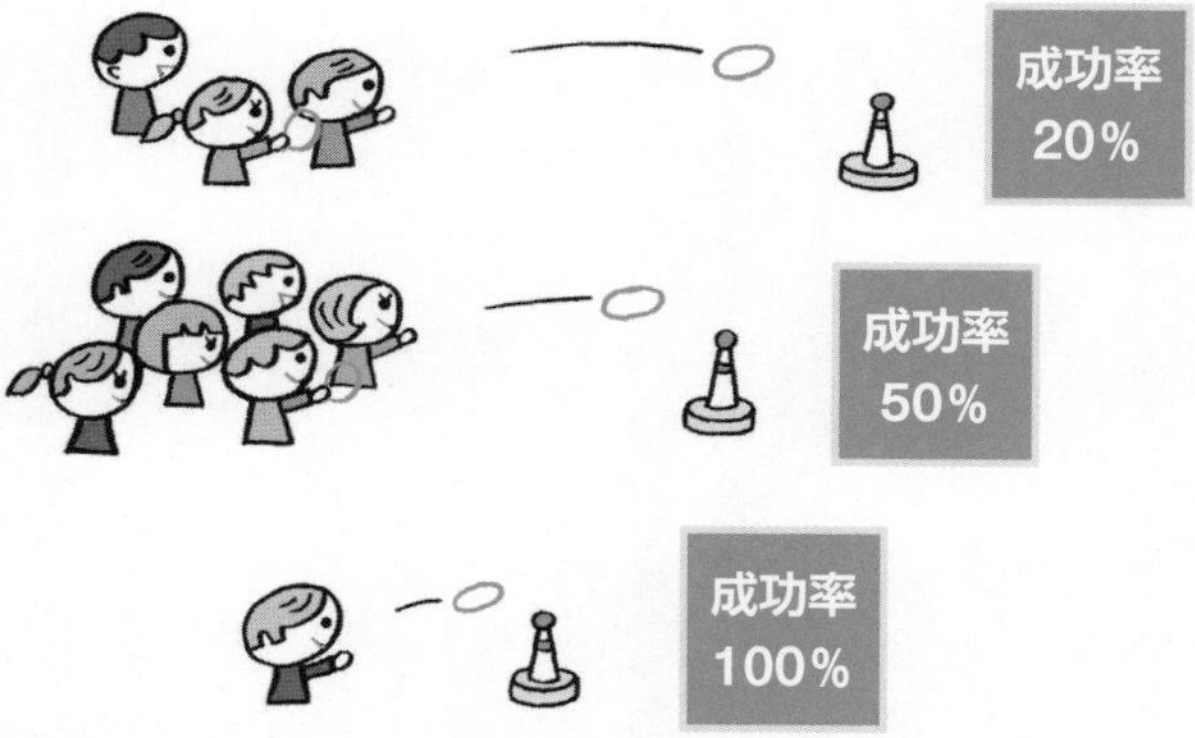
成功率
20%
成功率
50%
成功率
100%

ある程度の難しさを感じる方がやる気が出る

ピグマリオン効果とゴーレム効果

自己成就予言の１つとして、将来を期待されると、実際に期待通りになるピグマリオン効果と、その逆のゴーレム効果が知られている。

ピグマリオン効果

ハイッ
頼むよ!
ポン!

期待に応えて期待が実現

ゴーレム効果

やっぱり私ってダメなんだ….

ダメと言われるとダメになる

人間関係編

頼みごとをきかせるテクニックとは?

職場では、無茶な納期や顧客からの突然の要求で、同僚に援助を求めなければならない場面も多い。しかし、必ずきいてもらえるとは限らない。そんなときは心理学を利用しよう。

ビジネスでは、同僚に援助を求めなければならない場面も多いはずですが、手伝ってもらうのが嫌で自分だけで頑張る人もいます。これは相手に対して「**心理的負債感**」を抱くのが嫌だからです。一方的にお願いばかりでは負債感が募りますが、互いに貸し借りを作ることで、関係は深まり連帯感も生まれます。

しかし、人に頼みごとをするのが下手だという人もいるでしょう。そんなときは、心理学を使ったテクニックでお願いしてみましょう。まずは、お願いの仕方ですが、とりあえず理由をつけることです。心理学者のランガーはコピー機を使っている人に先に使わせてと3種類のお願いをし、その結果、**こじつけでも、理由をつけると承諾されやすい**ことがわかったのです。

またお願いする相手ですが、心理学では、うきうきするような快感情や、逆に罪悪感を持つ人が援助行動をしやすいことがわかっています。昇進が決まった等、何かいいことがあった人や、逆にやましいことのあった人に頼みごとをするのがよさそうです。

どうしても頼みごとをきかせたい場合は、「**ドア・イン・ザ・フェイス・テクニック**」(128頁)があります。**わざと大きな要求をして断らせ、その罪悪感で小さな要求を承諾させる**ものです。さらに、**人は、与えられた選択肢の中だけで判断する**ため、「テキストか集計、どちらを手伝ってくれる?」と頼むと「じゃあ集計」というように、最初から手伝うことになっていたかのように誘導する「**誤前提暗示**」も有効です。

エレン・ランガーの実験

ハーバード大学の心理学教授エレン・ランガーは、コピー機を使っている人に、先に使わせるよう以下の３種類の頼み方をさせた。

先にコピーさせて
急いでいるので先にコピーさせて（理由を説明）
コピーしなければならないので先にコピーさせて（こじつけ）
ムッ
60%が OK
94%が OK
93%が OK

人はこじつけでも理由をつけると承諾しやすい

頼みごとをきかせるテクニック

ドア・イン・ザ・フェイス・テクニック

夕方までに書類用意してね！
無理《ムリ》っす！
じゃ明日までね。
わかりました〜

最初に大きな要求をし、相手が断った罪悪感を利用して、小さな要求を承認させるテクニックだ。

誤前提暗示

テキストか集計どっちを手伝う？
じゃあ集計

そもそも「手伝う」「手伝わない」という選択肢を「テキスト作成か集計か」というどちらも手伝う前提にして選択させると、人は選択肢に縛られてどちらかを選んでしまう。

心象を悪くしないで断るには？

人間関係を重視する人は同僚の頼みをなかなか断れないもの。しかし、自分の仕事やプライベートの約束があると断らざるを得ない。心象を悪くしないで断る方法とは。

たとえば、同僚から残業の手伝いを頼まれたとします。自分の仕事が大変で余裕がなかったり、プライベートの用が入ったりしていても、社内での人間関係を大切にしたいと思っている人は、なかなか断れないものです。特に、上司の依頼だと、もし断って心象を悪くしたらどうしようと考えてしまいます。

しかし、頼まれたことを全て受けていると、ストレスがたまるばかりか、あの人ならいつ頼んでも大丈夫、みんなが頼んでいるのだから自分も大丈夫だろうと思われて「心理的負債感」が低減して、便利に使われるようになってしまいます。できないときはできないとはっきり断るべきですが、そこは同じ職場の仲間なので相手の心象を悪くしないで断る必要があります。

そこでおすすめなのが、**条件つき賛成話法**です。「すみません。今日はダメです」とすげなく断るのではなく、「明日であれば、お手伝いできます」「18時までならお手伝いできます」と条件をつけて返事をするものです。相手の主張を受け入れ、基本的に手伝う気はあるが、現在の状況では難しいと主張することで、相手もしかたないとあきらめさせるのです。

実は、この条件つき賛成話法の順序を逆にしたものが、営業などで使われる「**イエス・バット法**」です。「イエス・バット法」では、「お手伝いできます。でも、明日であれば」「手伝えますが、18時までですよ」となり、**条件つき賛成話法にくらべ、先に肯定的な返事ができるため、より心象良く断ることができます。**

心象を悪くしないで上手に断る方法

心象良く断るためには、協力したいという姿勢をみせながら、自分が条件的に難しいことを暗に表明するのがベスト。その方法としては「条件つき賛成話法」と、「イエス・バット法」が知られている。

明日のプレゼン資料手伝ってくれない？
わたしも今日は忙しくて手伝えません
彼氏とデートがあるから遅くまではムリ

条件つき賛成話法

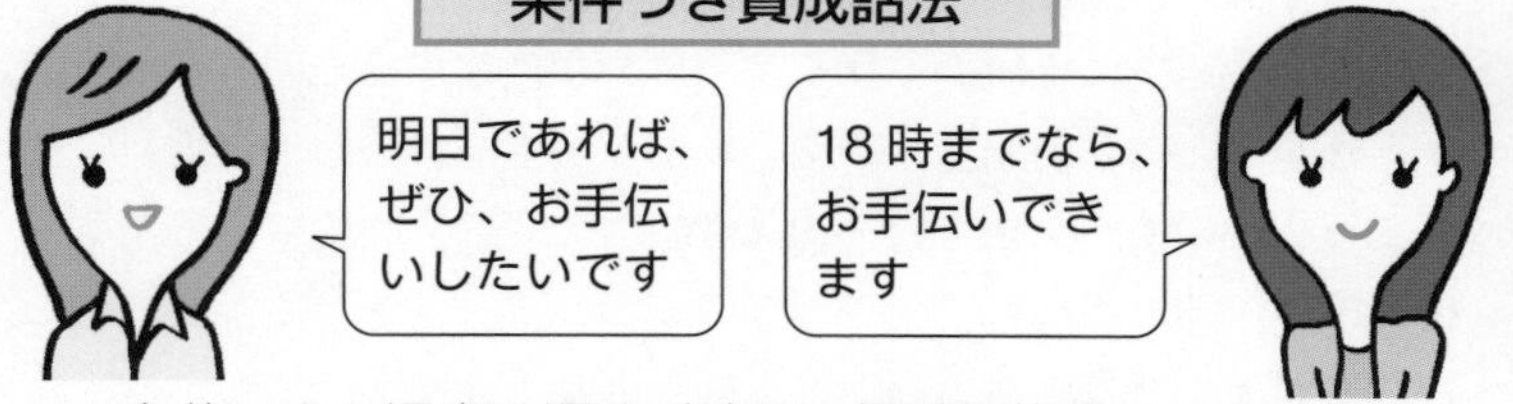
明日であれば、ぜひ、お手伝いしたいです
18時までなら、お手伝いできます

条件つきで返事を返す手法で、相手の依頼に応えつつ、自分の提示した条件によって結果的に断ることができる。

イエス・バット法

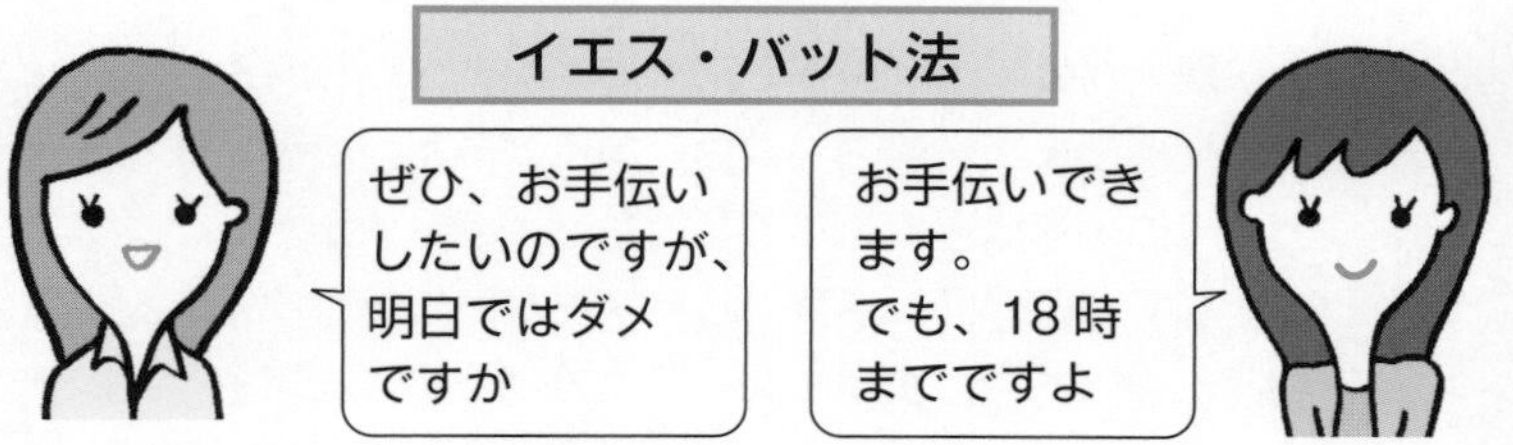
ぜひ、お手伝いしたいのですが、明日ではダメですか
お手伝いできます。でも、18時までですよ

条件つき賛成話法の順序を入れ替えたもので、先に相手に肯定的な返事ができるため、心象良く断ることができる。

Column 2

握手でわかる性格診断!?

日本のビジネス・シーンでも、国際化の流れで、握手をする場面が多くなってきました。アメリカ人やイギリス人と交渉すると、必ず握手を求めてきます。その握手によって性格がわかるとしたら、日本でも握手をした方がいいかもしれません。

セイモア・フィッシャーという心理学者は、手の温度が高いと人付き合いがよく、低いと人付き合いが苦手だと言います。また、精神科学の研究者ジャン・アストロムによると、男性限定なのですが、手のひらが乾いている人ほど社交的な性格なのだそうです。また、力強く握りしめてくる人ほど、積極的な性格だと言います。たしかに、握手は人と触れ合う行為で、力強く握手する人は他人とのコミュニケーションに抵抗感がなく、開放的な性格なのかもしれません。

そうすると、手の温度が高く、乾いていて、がっしりと握りしめてくる相手にあったら、社交的な性格なので、その人に対しては積極的にアプローチし、オープンなコミュニケーションをしても嫌われない可能性が高いということになります。

逆に、ひんやりした手で、湿っていて、弱々しい握手だったら、人付き合いが苦手な性格なので、あまり、社交的な誘いをせず、ゆっくりと時間をかけて人間関係を築く方がいいかもしれません。

日本では、まだまだ一般的ではない握手ですが、商談がまとまった席やセレモニーでは握手をすることも増えてきました。ビジネスパーソンとして、国際的な活躍をしたいあなたはもちろん、気になる異性の同僚がいたら、チャンスを見つけて、握手による性格診断を試してみてはいかがでしょう。

Chapter

2

職場で使える心理学

〔スキル・アップ編〕

自分を肯定することからはじめよう！

自信がないと、物事に挑戦しない、挑戦しないからうまくならない、うまくならないから失敗する。失敗するから自信が持てない。こうした悪循環から抜け出す方法とは？

仕事でも、自分に自信が持てないと、挑戦を恐れ、スキルも向上しません。すると失敗をして、さらに、自信を失います。こうした悪循環を負のスパイラルと言い、これにはまって、失敗ばかりくり返し、何をやってもうまくいかない状況が長く続くと、人は、やる気を失って、その状況に立ち向かわなくなります。こうした現象をアメリカの心理学者セリグマンらは、「学習性無力感」と呼びました。つまり、**無力感も学習によって獲得される**というのです。

しかも、人は、物事を考える際、様々な可能性があっても、これに違いないと反射的に考えてしまいます。これを「自動思考」と言い、**失敗ばかりしていると自分はダメだとネガティブな自動思考をしてしまいます。**

こうしたネガティブ思考の負のスパイラルに陥っている人は、「自己肯定感」が低く、自己評価が低下しています。「自己肯定感」とは、自分自身が自らのことを価値ある存在として認める感情で、まさに、自分を肯定する気持ちのことです。**この自己肯定感が低いと自信が持てず、ネガティブな自動思考をしてしまい、やる気を失ってしまう**のです。

自己肯定感を高めるのは難しいのですが、まずは、ネガティブな自動思考をやめ、何にでも肯定的に考えるようにしましょう。さらに、小さな目標や簡単な課題に挑戦し、成功してほめられたら謙遜することなく、素直に受け入れ、自分自身でも自分をほめることで、自己肯定感を高めていきましょう。

自信消失で起きる負のスパイラル例

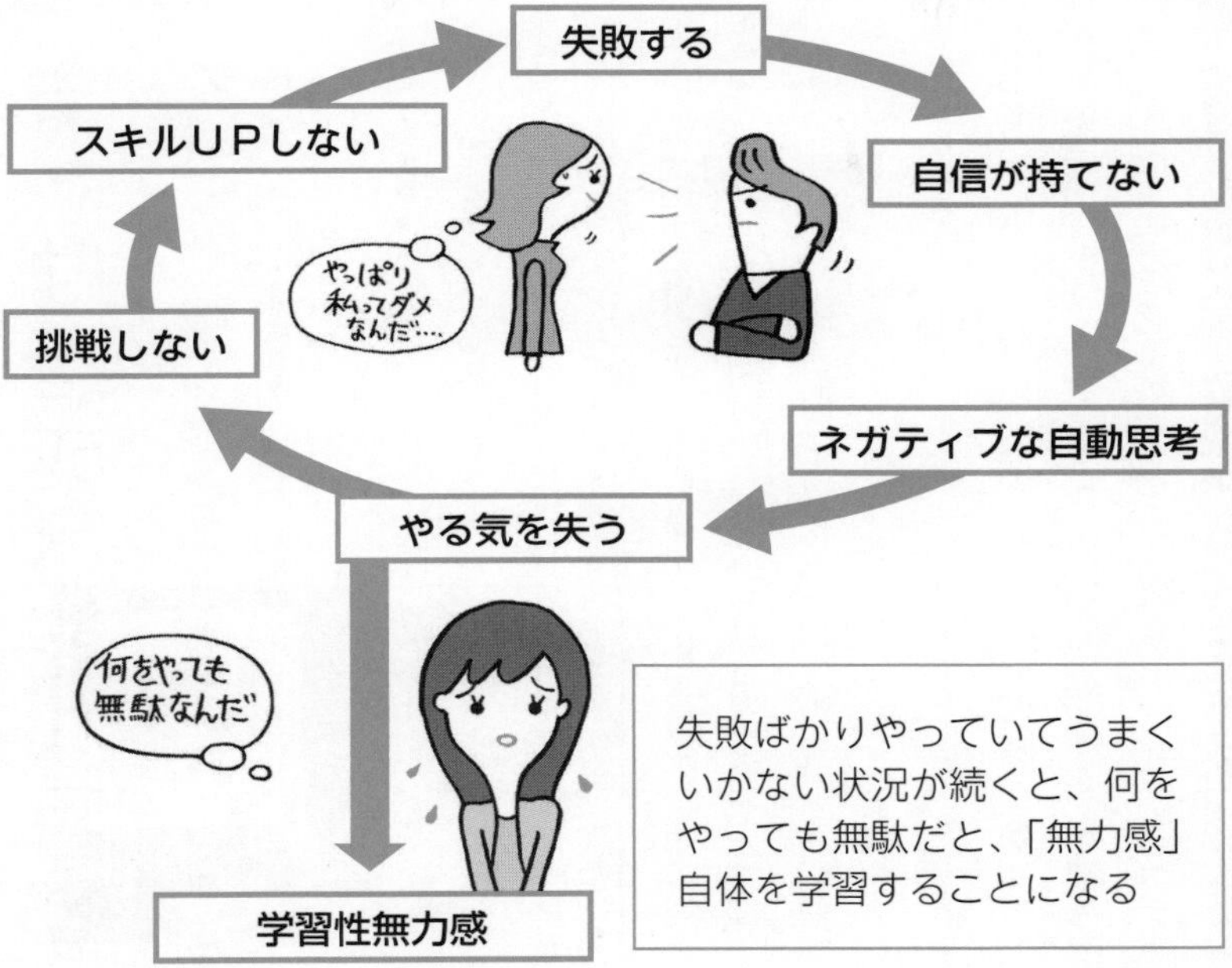
失敗する
自信が持てない
ネガティブな自動思考
やる気を失う
挑戦しない
スキルUPしない
やっぱり私ってダメなんだ…
何をやっても無駄なんだ
学習性無力感
失敗ばかりやっていてうまくいかない状況が続くと、何をやっても無駄だと、「無力感」自体を学習することになる

自己肯定感を高めよう！

負のスパイラルから脱するには、ネガティブな自動思考をやめ物事を肯定的にとらえよう。さらには小さな目標にチャレンジし、成功したら、謙遜したりせず、人からの称賛を受け入れ、自分自身でも自分をほめるようにしよう。

大丈夫
大丈夫
頑張ったね！
私、よく頑張った！
ポジティブに考える
ほめられ上手になる
自分自身をほめる

まずは達成可能な目標を立てる

人は、どんなに効果が期待できても、自分にできる自信がなくては行動に移さない。仕事や職場でも、やる気を出して目標に向かうためには、現実的な目標設定が必要なのだ。

会社のノルマや目標は、高ければ高いほどいいと言う人がいますが、あまり高すぎてもやる気は起こりません。「達成目標」と「自信」についてカナダの心理学者パンデューラは次のような理論を提唱しています。

まず、ある「行動」に対してある「結果」が期待できるとします。これが「**結果期待**」と呼ばれるもので、たとえば、ダイエットで、「毎日2時間運動をすると1年で20キロ痩せられる」といったものです。しかし、そもそも、「行動」を行う前に、その「行動」ができるかどうかが問題となるでしょう。これが、「**効力期待**」と言うもので、「毎日2時間、1年間運動を続けられる自信」があるかどうかが問われるのです。

つまり、痩せられるという「結果期待」がどんなに高くても、毎日2時間運動することが難しそうで、「効力期待」が低いと、「行動」には移されないのです。

やる気を出すためには、「効力期待」に応えられる「自信」が必要で、この「自信」のことを、パンデューラは「**自己効力感**《セルフ・エフィカシー》」と呼びました。

では、大きな目標を目指すためにも、自己効力感＝自信を高めていくにはどうすればいいのでしょう。仕事もダイエットと同じなのです。**いきなり大きな目標に挑戦するのではなく、小さな目標や簡単な課題に分割することで、達成可能な目標とし、小さな成功体験を積み重ねていくことで、自己効力感を高めていける**のです。自信が高まれば、新たな挑戦へと向かい、どんどん好循環が生まれていくはずです。

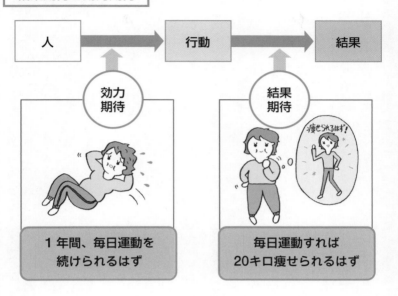

自己効力感と目標設定

結果期待と効力期待

人 → 行動 → 結果

効力期待（人 → 行動）

1年間、毎日運動を続けられるはず

結果期待（行動 → 結果）

毎日運動すれば20キロ痩せられるはず

運動すれば痩せられるとわかっていても、毎日運動できるか自信がない場合（効力期待が低い場合）行動に反映されない。

↓

やる気になるためには自己効力感（自信）が大事

↓

大きな目標では自分への効力期待を育みにくい → 小さな目標に分解し、近い目標をやり遂げる → 自分への効力期待が育まれ意欲がわいてくる

スキル・アップ編

やる気スイッチが入らない

やる気スイッチと言う言葉があるが、心理学では、動機づけのこと。アメとムチの外的動機づけでは、一時的効果しかなく、自分から興味や目標を持つ内的動機づけが必要だ。

自分でも頑張らなければいけないと思っていても、「やる気」が起こらないときがないでしょうか。この「やる気」のことを心理学では「動機づけ」（モチベーション）と呼んでいます。

動機づけには、おなかがすけば食べたい、眠くなれば眠りたいといった「生理的動機づけ」のほかに、自分の探究心や向上心に基づく「内的動機づけ」と、営業成績が上がったらボーナスを出し、下がったら降格といったアメとムチによる「外的動機づけ」があります。実はこうしたアメとムチによる外的動機づけは一時的には効果があっても長続きはしないことがわかっています。したがって、自ら興味や向上心を持って仕事にあたる「内的動機づけ」が大切なのです。

しかし、そうはいっても、どうしてもやる気にならない仕事もあるでしょう。そんなときは、「アファメーション」と言う方法があります。断言、誓約を意味する言葉で、**仕事の達成目標などを宣言することで自分を奮い立たせる方法**です。人前での宣言（パブリック・コミットメント）が一番で、宣言の自己拘束力によってウソにならないように頑張るのです。ブログやツイッター、自身でつぶやくだけでも効果があります。

また、**あえて仕事を中断したり、明日の仕事を前もって少しやったりする手法**もあります。人は、未完了の課題については完了課題より想起されやすいとするツァイガルニック効果を応用したもので、未完である緊張を取り除くため、完了させようと頑張るのです。

2つの動機づけとその効果

動機づけには、「生理的動機づけ」のほかに、自分の興味や意欲による「内的動機づけ」とアメとムチの「外的動機づけ」がある。

外的動機づけ

アメとムチによる動機づけ

↓

一時的な効果

内的動機づけ

興味や意欲による動機づけ

↓

長期的な効果が期待できる

やる気アップの方法例

アファメーション

仕事の達成目標などを人前で宣言することで、自分自身を奮起させる。

ツァイガルニック効果

あえて仕事を中断することで、未完成の緊張状態に自分を置き、頑張らせる。

やる気を決める公式

「内的・外的動機づけ」とともに、動機づけの有力な理論として、結果への期待と成功した時の価値によって行動が起きるとする「期待価値説」がある。

やる気を決めるのは、内的・外的動機づけ以外にも、結果への期待とその行動に感じる価値で決まるという考え方もあります。この理論を**期待価値説**と呼びます。

人が何かをやろうとする「意欲」は、できそうだと思う「期待」と、自分にとってのやりがいである「価値」の認識に影響されるとするもので、基本的に次の公式で表されます。

意欲＝期待×価値

この期待価値モデルをベースに、他にも様々なモデルが提唱されています。他者と競争したり努力したりする「達成動機」を主に研究したアトキンソンは、達成への意欲（達成志向行動）は、成功したい気持ち（成功接近傾向）から、失敗を避けたい気持ち（失敗回避傾向）を引いたものだと考えました。

達成志向行動＝成功接近傾向－失敗回避傾向

また、成功したい気持ち（成功接近傾向）も、失敗を避けたい気持ち（失敗回避傾向）も、やる気を起こさせる「動機」と、できそうだと思う「期待」と、自分にとっての「価値」の3変数を掛けたもので決まるとしました。したがって、その差で表される達成への意欲（達成志向行動）もこの3変数で表現でき、次のように定式化できます。

達成志向行動＝動機×期待×価値

この式をみると、**「動機」や「期待」や「価値」の1つでもゼロになってしまうと、「達成への意欲」が完全に失われてしまう**ことがわかるでしょう。

期待価値モデルの基本形

意欲 ＝ 期待 × 価値

期待価値モデル：人の意欲は、行動によって得られる結果への期待とその価値の大きさによって決まるとする考え方

意欲を考える２つの公式

達成志向行動 ＝ 成功接近傾向 − 失敗回避傾向

達成への意欲 は 成功したいと思う気持ち から 失敗したくないという気持ち を引いたもの

達成志向行動 ＝ 動機 × 期待 × 価値

達成への意欲 は やる気を起こさせる気持ち と できそうだと思う気持ち と 自分にとってのやりがいを掛けたもの

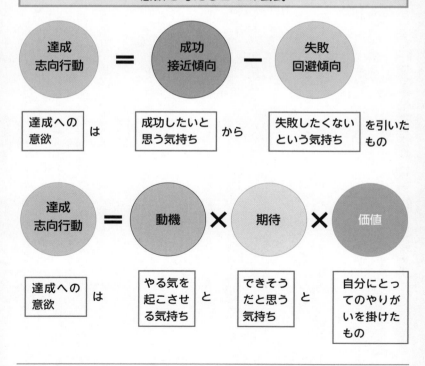

スキル・アップ編

仕事に失敗しても自分の能力を疑うな！

やる気がなくなる人と頑張れる人がいるのは、失敗や成功体験が問題なのではなく、その失敗や成功の原因をいかに考えるかによって違ってくるのだ。

試験に落ちたり、仕事で失敗したりしたとき、人は、どうしてうまくいかないのか、どこに理由があるのか考えると思います。心理学ではこれを原因帰属と呼び、**「原因帰属」をどこに求めるかによって、その後の行動が全く違ってくる**と考えられています。

ワイナーは、達成欲求の高い低いといった個人差は、成功、失敗といった達成結果によるものではなく、達成結果の原因認知が影響していると考え、3つの基準により原因帰属を分類（左図）しています。

基準の1つは、内的－外的の区別で、原因の所在が自分か、自分以外かで分けられます。また、安定して同じ結果が得られるかどうか安定－不安定の基準を設け、さらにその原因が自分でコントロールできるか、統制可能－不可能の基準で分類しました。

たとえば、仕事に失敗した2人の人物がいたとします。1人は、その原因が自分の「努力不足」だと考えました。「努力不足＝一時的な努力」とは〈内的〉で〈不安定〉で〈統制可能〉な変動要因なので、この人は「努力が足りなかったんだから、今度こそ」と思って頑張ることができます。一方、仕事に失敗した原因を「能力」だと考えた方は、「能力」とは〈内的〉で、〈安定〉していて〈統制不可能〉な不変要因であるから、「どうせ、自分なんて頑張っても駄目に決まっている」とあきらめることになるのです。

失敗した後でも、モチベーションを持続できる人は、自分で統制可能な「努力」に原因を見出す人なのです。

ワイナーによる原因帰属の分類

	統制可能		統制不可能	
	安定	不安定	安定	不安定
内的	日常の努力	一時的な努力	能力	気分や体調
外的	教師の熱意	他人からの助け	課題の難しさ	運

やる気を左右する原因の認識

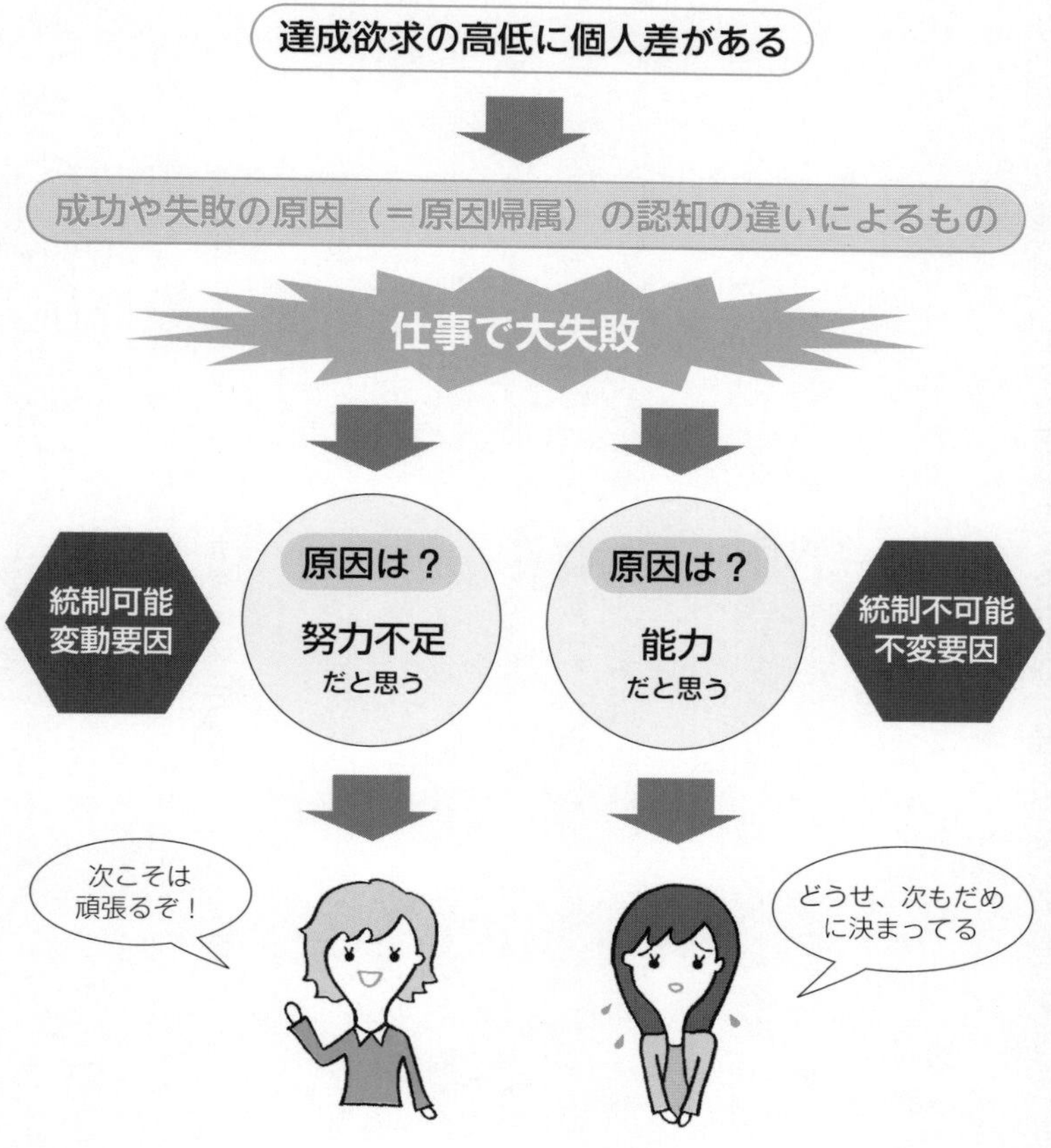
達成欲求の高低に個人差がある
成功や失敗の原因（＝原因帰属）の認知の違いによるもの
仕事で大失敗
統制可能
変動要因
原因は？
努力不足
だと思う
原因は？
能力
だと思う
統制不可能
不変要因
次こそは
頑張るぞ！
どうせ、次もだめ
に決まってる

失敗したときの釈明が大事

職場でのミスは大きな問題となる場合も多い。しかし、人間にミスは付きもので、失敗をしたときこそ、その人間の真価がわかるもの。ピンチをチャンスに変える釈明の仕方とは？

「確認ミスで受注がキャンセルになった」「ダブルブッキングでお得意様との会合に遅れた」など、職場においては、小さなミスが大きな問題となる場合も多々あります。しかし、人間にはこうしたミスは付きもので、ミスや失敗自体も問題ですが、なによりも事後処理が大切なのです。それぞれ事案に対して問題解決に早急かつ真摯にあたるのはもちろんですが、ミスや失敗を犯したときの釈明が、今後の仕事ばかりか、人間関係にも大きく影響するので要注意です。

心理学には、原因をどこに求めるかという「帰属理論」があり、それによるとミスや失敗の原因が、自分以外の他者や状況、組織などに求める「外的帰属」と、自分自身に求める「内的帰属」があります。

たとえば、納期に間に合わず取引停止になったとします。すぐに弁解や言い訳をする人の多くが、「外的帰属型」で、「下請けが期限を守らなかった」「クライアントが無茶な納期を言ってきた」など、周囲の責任にして、自分は悪くなかったと考えます。一方、「内的帰属型」は、「自分のフォロー不足でした」など、自己の能力や仕事の進め方などに原因を求めます。

後者の方が、**言い訳をせず、自分の非を認めるので潔く、ミスをしても逆に株が上がるかもしれません。**

一方、言ってはいけない弁解は、心理学で言う防衛機制の合理化にあたるものです。「あの仕事は利益率が低いので、取引停止になって良かった」などと、**失敗を正当化するもので、最も嫌われる言い訳**です。

失敗したときの釈明の仕方

外的帰属型の釈明

ミスや失敗の原因を、自分以外の他人や組織、状況などに求め、自分は悪くなかったと考えるため、潔くない言い訳に聞こえる。

内的帰属型の釈明

ミスや失敗の原因を、自分の能力や仕事の進め方などに求め、他の人のせいにしないため、逆に潔いと評価を上げる可能性あり。

防衛機制の合理化型の釈明

防衛機制の合理化とは、満たされなかった欲求に対して合理的な言い訳をして自分の心を納得させるもので、根拠のない言い訳にしか聞こえず、かえって評価を落とす。

パニックへの対処法

頭が真っ白になる。脚がガクガク震える。誰しも極度のプレッシャーにさらされるとパニックになります。そんなときに有効なのが、認知心理学を使った対処方法だ。

大事な会議に遅刻しそうになったり、突然の問題発生で頭が真っ白になった経験はないでしょうか。脂汗が出て、脚がガクガク、おなかが痛くなったり、目まいがしたりする人もいます。「パニック発作」と言うもので、強いプレッシャーを感じることで、こうした身体症状に襲われます。経験者は実に4割を超えるとする報告もあり、発作とまではいかなくても極度のプレッシャーでパニックになることは誰にでも起きます。

では、そうしたときには、どうすればいいのでしょう。かつては、パニックになるなら、プレッシャーを取り除こうと、緊張する場面を避け、環境を変えようとしてきました。これは、出来事（Activation）の発生と結果（Consequence）が直結していると考えられてきたからです。心理学者エリスはこれに対して、出来事は考え方（Belief）を経由することで初めて結果を生むとする**ABC理論**を提唱しました。

つまり、気の持ちようで苦しみは消えるのです。深呼吸や体に触る、「平常心、平常心」と言って落ち着かせようとする「**回避的コントロール**」も予防的な段階では有効です。しかし、実際にパニックになってしまうと、気のせいだと思えば思うほど、大変な自分が浮かび上がって逆効果です。私がおすすめする対策は、**自分の状況を言語化することで苦しみを認め、身を委ねることでパニックから脱出する方法**で、いわば「**ひとり実況中継**」です。周囲に緊張していることをカミングアウトするだけでも有効です。

ABC理論で気持ちを変えて対処

ABC理論	かつての考え方

A
出来事
（Activation）
A
B
ここを
変える！
考え方
（Belief）
結果
（Consequence）
C
C

かつては、出来事と結果は直結していると考えられてきたが、認知心理学では、その間に「考え方」が介在しているとされ、これを変えることで、結果が変わると考えられている。

パニックになったときの対処法

回避的コントロール

深呼吸や体に触る、「気のせいだ、平常心、平常心」と言って落ち着かせようとする。初期的な段階では有効。

ひとり実況中継

おっと
緊張して震えが
とまりません

自分のパニック状態を言語化し、苦しみを認めることで、認知を変えさせ、パニックから脱出する方法。周囲に漏らすだけでも有効。

スキル・アップ編

論理的、客観的に考える

複雑になりすぎた業務や課題には、構造的にとらえて把握するロジカル・シンキングや、一歩ひいて客観的に自分の仕事や業務を見直すメタ認知が有効だ。

ビジネスの世界では、時代とともに仕事の内容が複雑化しています。本業のことだけ考えればよかった時代もありますが、現在では、コンプライアンス（法令順守）やリスク・マネジメントが重視され、企業のガバナンス（統治）が問われる時代になっています。

　こうした複雑化する業務にあって、ビジネスマンとして必要なのが、「論理的思考力」と言われるものです。論理的思考力とは発達心理学では、7歳から11歳頃に獲得されるとする思考を組み立てる能力のことですが、これとは違い、ビジネスの世界で広まったもので、一般的に「ロジカル・シンキング」と呼ばれています。一言でいえば、**複雑な問題を単純化し、構造的にとらえ、誰が見てもわかりやすく把握する技術**です。

　たとえば、「MECE《ミーシー》（= Mutually Exclusive and Collectively Exhaustive)」とは、情報をグループ分けする際に、「漏れなく重複なく」行うべきだとする考え方で、「ピラミッド構造」とは、結論と根拠を階層的に組み立てて構造的に把握する技術です。

　一方、自分が普通に行っている行動を、一歩ひいて、客観的に見ることも大切です。これが心理学者のブラウンとフラメルによって提唱された「メタ認知」と呼ばれるものです。**現在進行中の自分の仕事や行動を点検やモニタリングし客観的に認識することで、問題解決や認識の歪《ゆが》みを発見する**ことができるのです。

　ロジカル・シンキングやメタ認知の導入は、ますます複雑化する業務にあって有効な手段といえます。

ロジカル・シンキングの手法例

ロジカル・シンキングとはコンサルティングで使用される用語で、複雑な問題を単純化し、構造的にとらえることで、誰が見てもわかりやすく把握する技術。

MECE（ミーシー：Mutually Exclusive and Collectively Exhaustive）

情報をグループ分けする際に、「漏れなく重複なく」行うべきだとする考え方。商品企画や、調査対象の選定など、網羅性が求められる場面で使用。

ピラミッド構造

結論と根拠を階層的に組み立てて構造的に把握する技術。ピラミッドのような図形で表されるため、理解がしやすくプレゼンにも有効。

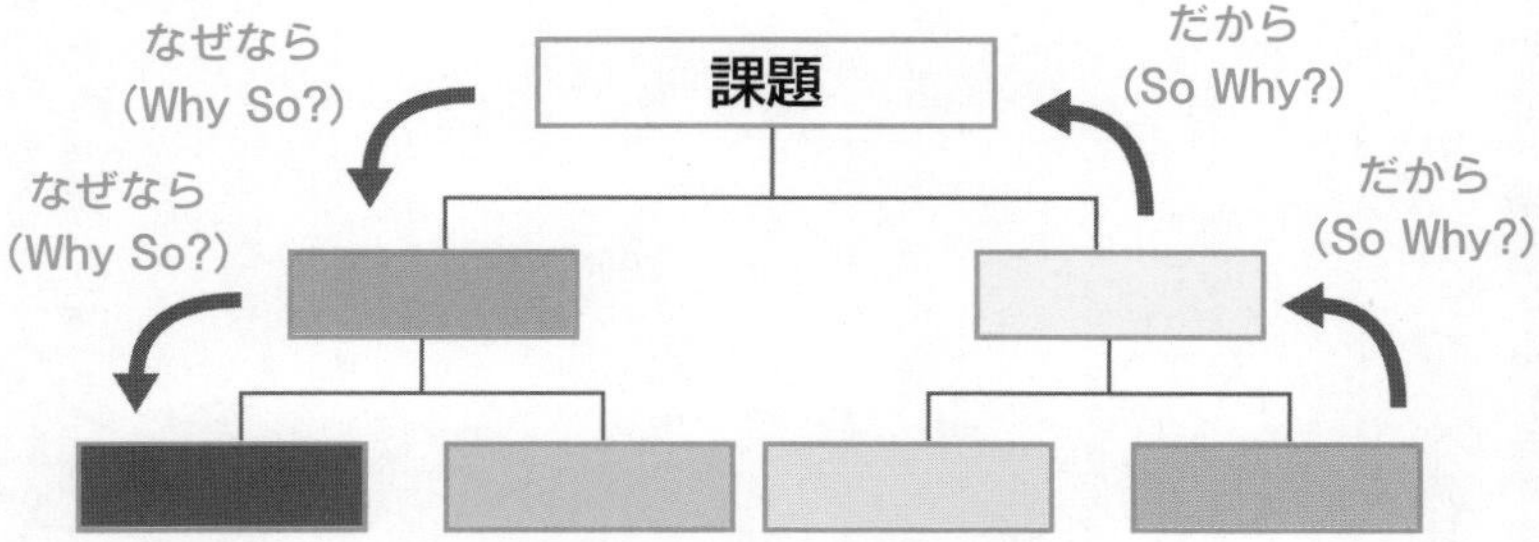
なぜなら
(Why So?)
なぜなら
(Why So?)
課題
だから
(So Why?)
だから
(So Why?)

各要素は MECE になるように

メタ認知の手順

心理学者のブラウンとフラメルが提唱。現在進行中の仕事や行動を点検やモニタリングし客観的に認識することで、問題解決や認識の歪みを発見することができる。

予測 → **点検・モニタリング** → **判断**

予測：現状の問題点や課題を予測する。

点検・モニタリング：現在の進行状況を、点検・モニタリングし問題がないかをチェック。

判断：認識の歪みや問題を発見し対策を打つ。

記憶の不思議なメカニズム

仕事でも試験でも、記憶力が求められる局面は多い。効果的な記憶法について考える前に、まずは人間の記憶のメカニズムについて見てみよう。

人はどのようにして記憶しているのでしょうか。心理学では、記憶には「記銘」「保持」「想起」の基本的な3段階があるとされています。

試験前には誰でも経験するように、まず、繰り返し反復したり（リハーサル）、語呂合わせをしたりして覚えようとします。これは情報を符号化して記憶に入れる段階で、記銘と呼んでいます。つぎに、記銘した情報を貯蔵し保持しなければなりません。こうして、試験に臨むと、保持された情報を検索し、再生し再認することで、覚えた情報を正しく取り出す想起が行われると考えられています。

しかし、記憶の全てが想起できるわけではなく、その多くはすぐにも忘れてしまいます。そこで、アトキンソンとシフリンは、記憶のモデルとして、短期記憶と長期記憶の2つの貯蔵庫からなるボックス・モデル（二重貯蔵モデル）を考案しました。

このモデルでは、外界から入ってきた情報は、感覚記憶として聴覚では数秒、視覚では数百ミリ秒という極めて短い時間保持されますが、ほとんどは消失し、記憶に残したいものだけ短期記憶貯蔵庫に送り込まれます。しかし、ここでも保持時間は15秒から30秒で忘却してしまいます。

この中から、リハーサルなどして、長期記憶貯蔵庫に送り込まれたものだけが、永続的に保持できるのです。**記憶を定着させるには、繰り返し反復することが重要になります。**

記憶の3段階

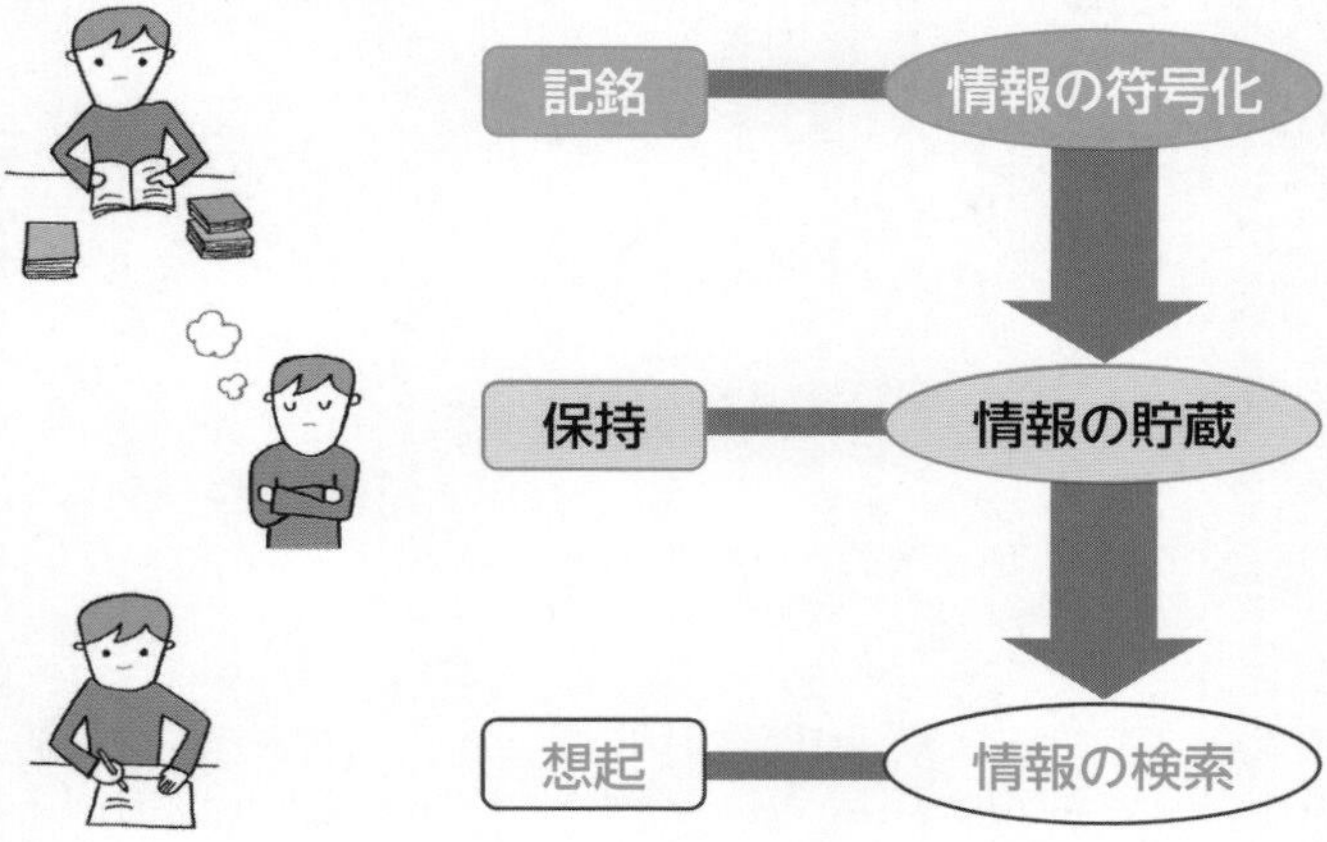

ボックス・モデル（二重貯蔵モデル）

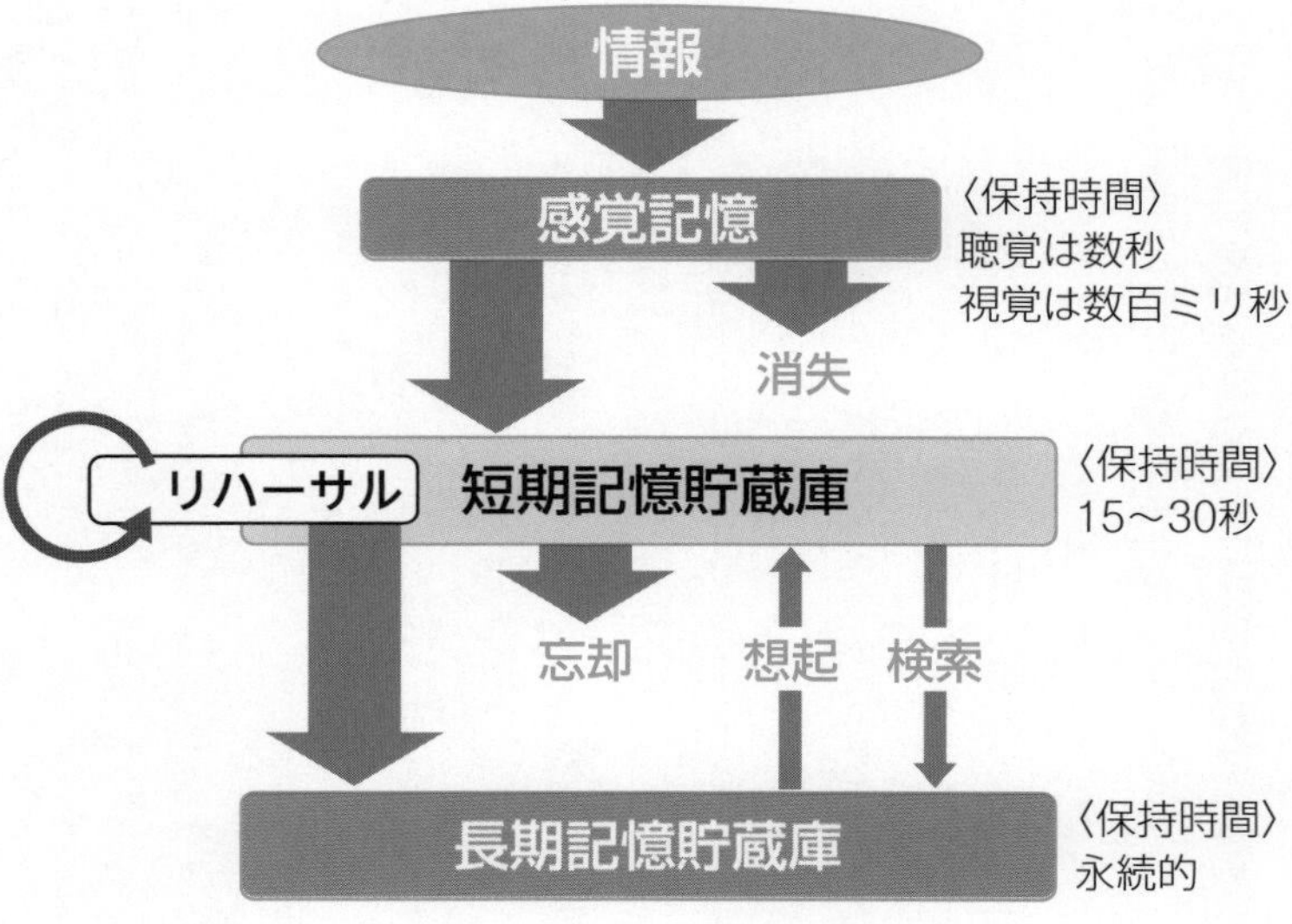

記憶可能な単位を知る

人には、一度に覚えられる情報の数がある程度決まっている。何かを一度で記憶するときは、この範囲に情報を整理するようにしてみよう。

短期記憶は当初、一時的な記憶の貯蔵庫としてしかみなされていませんでした。しかし、人間の認知活動に積極的な役割を果たしていることがわかるようになり、バッデリーは仕事をする記憶として**ワーキングメモリ**と命名しました。

さらに、彼は、このワーキングメモリが3つの機能からなると考えました。それが、音声を貯蔵しくり返し再生できる音韻ループと、視覚的なイメージを貯蔵し、操作する視空間的記銘メモです。そして、これらとやり取りをして、情報の整理、調整を行い、長期記憶との媒介をする中央制御部を想定しました。

しかし、このワーキングメモリの記憶は、約15秒から30秒で忘却されるだけでなく、覚えられる個数にも限界があります。それが、ミラーによって**マジカルナンバー7±《プラスマイナス》2**と呼ばれたものです。

しかし、この7±2というのは単なる個数ではありません。情報のまとまりを**チャンク**と呼びますが、長期記憶で作られた情報のまとまりが、短期記憶のチャンクの単位となると考えられていて、このチャンクの数が5～9個までであればすぐに覚えられるというわけです。たとえば、左図のように、11個の数字だと一度に覚えられなくても、語呂合わせなどで、意味のまとまりであるチャンクを5～9個以下にすれば、一度に覚えることが可能になります。

つまり、**情報を5～9個以下に整理すれば、誰でも比較的簡単にまとめて記憶できるのです。**

ワーキングメモリのモデル

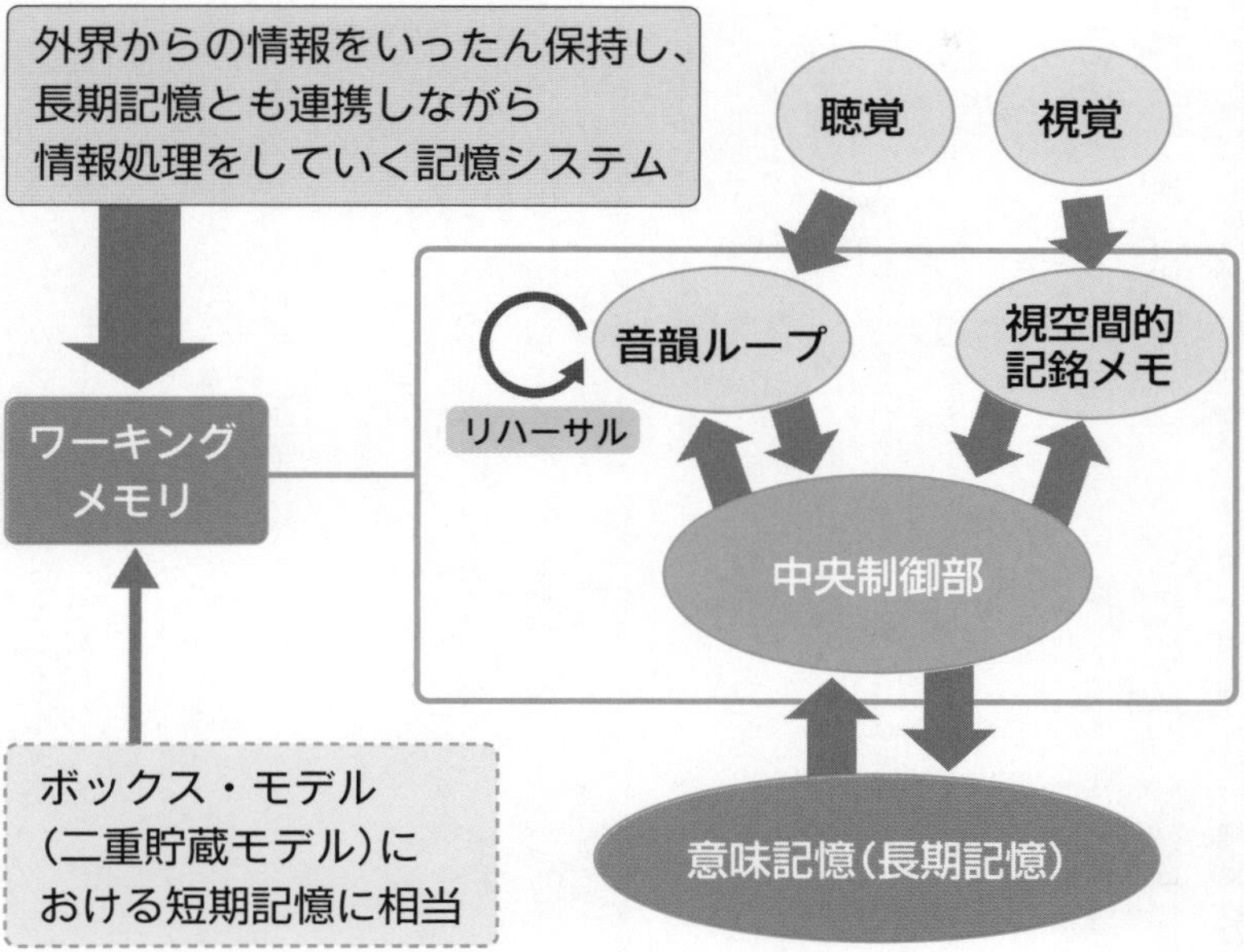
外界からの情報をいったん保持し、
長期記憶とも連携しながら
情報処理をしていく記憶システム
ワーキング
メモリ
ボックス・モデル
(二重貯蔵モデル)に
おける短期記憶に相当
聴覚
視覚
リハーサル
音韻ループ
視空間的
記銘メモ
中央制御部
意味記憶(長期記憶)

マジカルナンバー7±2

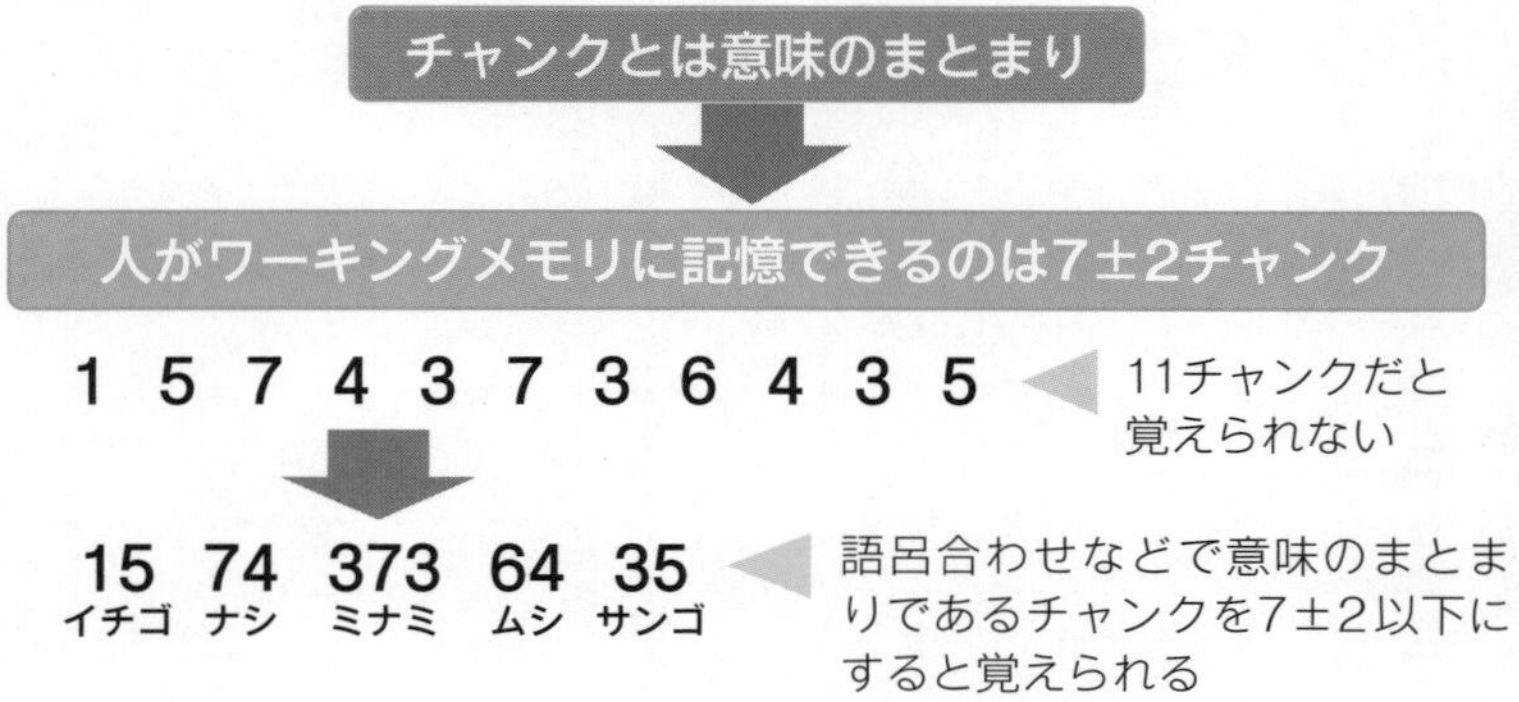
チャンクとは意味のまとまり
人がワーキングメモリに記憶できるのは7±2チャンク
1 5 7 4 3 7 3 6 4 3 5
11チャンクだと
覚えられない
15 74 373 64 35
イチゴ ナシ ミナミ ムシ サンゴ
語呂合わせなどで意味のまとまりであるチャンクを7±2以下にすると覚えられる

忘れない記憶とは?

知識やエピソード、技量などとして半永久的に記憶される長期記憶。その構造を知ることで、効率的な学習ができるはずだ。

長期記憶は、永続的に保持され、その容量も、無制限だと考えられています。長期記憶には、言葉やイメージで記憶し、言語で説明可能な**宣言的記憶**と、自転車の乗り方や楽器の演奏など、言葉で記憶されていない**手続き的記憶**に分けられます。

さらに、「宣言的記憶」は、一般的な知識として知っている**意味記憶**と、体験談など、ストーリーとして記憶している**エピソード記憶**とに分けられます。「意味記憶」はいわば、心の百科事典であり、「エピソード記憶」は、心の日記帳と言えるでしょう。この「エピソード記憶」は、まさに日記帳に書かれる内容のように、「時間」や「場所」、その時の「自己感覚」に結びついているため、こうした文脈情報を思い出すことによって想起することができるのです。試験対策で、知識である「意味記憶」を増やそうと頑張ってもなかなか記憶できない場合は、**覚えている状況や場所などの経験とともに記憶する**ことで「エピソード記憶」にするのも有効です。

また、「意味記憶」は、関連性のある概念や属性が要素として結びつきネットワークを形成していると考えられています。そのため、あらかじめある事柄を提示しておくと、それに関連する要素が思い出しやすくなる**プライミング効果**が知られていて、関連事項を先に示すなど学習場面で利用されています。たとえば、**事前にテキストの見出しや図版をざっと目を通してから本文を読む**と、内容を記憶しやすくなります。

様々な長期記憶

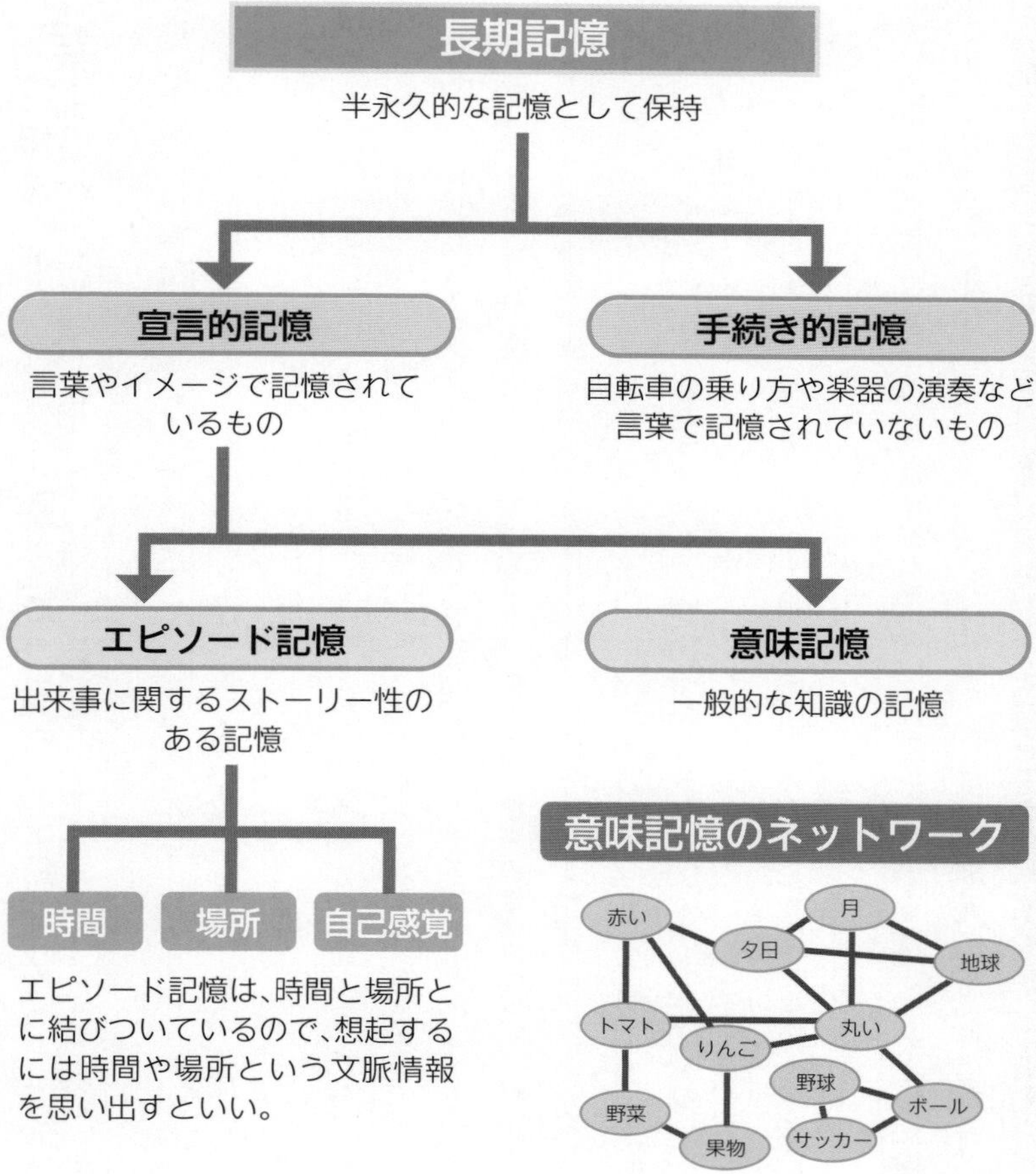
長期記憶
半永久的な記憶として保持
宣言的記憶
言葉やイメージで記憶されているもの
手続き的記憶
自転車の乗り方や楽器の演奏など言葉で記憶されていないもの
エピソード記憶
出来事に関するストーリー性のある記憶
意味記憶
一般的な知識の記憶
時間
場所
自己感覚
エピソード記憶は、時間と場所とに結びついているので、想起するには時間や場所という文脈情報を思い出すといい。
意味記憶のネットワーク
赤い
月
夕日
地球
トマト
丸い
りんご
野球
ボール
野菜
果物
サッカー

意味記憶は、心の百科事典、エピソード記憶は心の日記帳みたいなもの。宣言的記憶を増やすのには、エピソード記憶として記憶するのも有効である。

スキル・アップ編

意味づけをすると記憶に残りやすい

短期記憶と長期記憶と言う分け方や、リハーサルによる長期記憶化といった「ボックス・モデル」を批判し、意味づけのような記憶の処理の深さを考慮したのが「処理水準モデル」だ。

これまでみてきたように、ボックス・モデル（二重貯蔵モデル）では、短期記憶の一部が、リハーサル（繰り返し）によって長期記憶に移行すると考えられていました。しかし、衝撃的な出来事や印象的な経験は、すぐに記憶に残り、なかなか忘れられません。この現象は、ボックス・モデルで説明するのは難しいのです。そこで、ここではもう1つの記憶モデルをご紹介したいと思います。

短期記憶がリハーサルによって長期記憶に移されるという根拠はなく、そもそも短期記憶と長期記憶と言う分け方自体も曖昧だとして、クレイクとロックハートらは、ボックス・モデルを批判しました。

彼らは、情報はいかに処理され、その処理の深さで記憶はどう変わるかといった観点から実験を繰り返し、記憶の**処理水準モデル**を考案しました。これによると、記憶は、形をそのまま記憶する**物理的処理**、言語や音声の情報をそのまま記憶する**言語的・音韻的処理**、情報の意味を考えながら記憶する**意味的処理**の3つの水準に分けられ、後者になるほど処理水準が深くなり、記憶に残りやすく、想起率も高いとされます。

ただし、音声としての再認テストでは、記憶時に意味として覚えるより、音声として覚えた方が成績がいいことも知られています。

いずれにしても処理水準説の立場で考えると、記憶するには、**形で覚えるだけでなく、声に出したり意味内容を考えたりすることが有効**だといえるでしょう。

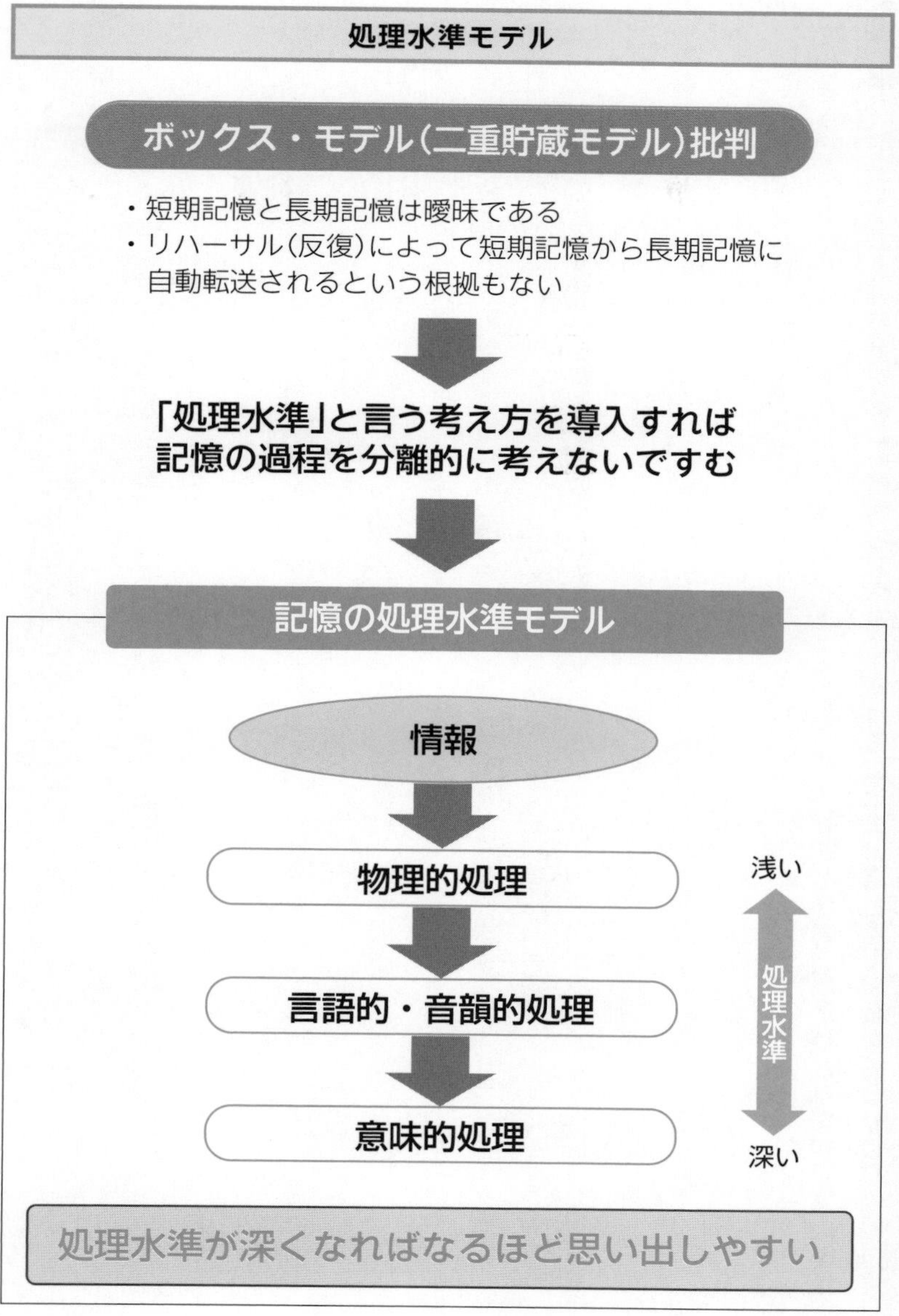
処理水準モデル
ボックス・モデル（二重貯蔵モデル）批判
・短期記憶と長期記憶は曖昧である
・リハーサル（反復）によって短期記憶から長期記憶に
自動転送されるという根拠もない
「処理水準」と言う考え方を導入すれば
記憶の過程を分離的に考えないですむ
記憶の処理水準モデル
情報
物理的処理
言語的・音韻的処理
意味的処理
浅い
処理水準
深い
処理水準が深くなればなるほど思い出しやすい

スキル・アップ編

一夜づけでは記憶が定着しないわけ

記憶は復習や繰り返しが大事。一夜づけで徹夜で頑張っても、あまり効果がないことは、干渉説やエビングハウスの忘却曲線からも明らかなのだ。

試験の前日に徹夜で覚えたのに、忘れてしまった経験は誰にでもあると思います。

忘却の原因には様々な理由が考えられますが、その1つが、使用しないために記憶が自然に失われていくとする自然崩壊説です。しかし、それだけでは説明できないことも知られています。それがジェンキンス、ダレンバックによる実験で、無意味つづりを記憶させた後に、睡眠を取らせたグループと起きていたグループで調査すると、起きていたグループの記憶の成績が低かったのです。こうした実験から、他の情報との干渉が起こり記憶が失われる干渉説が唱えられています。

この干渉説には、新しい記憶が過去の記憶の再生を妨害する逆向抑制と、過去の記憶が新しい情報の記憶を妨害する順向抑制が知られてます。また、手掛かりなどがなく、検索の失敗で思い出せないとする検索失敗説もあります。

記憶研究の先駆者であるエビングハウスは、言葉として意味をなさない無意味つづりのリストを作り、被験者に記憶させ、時間経過とともにどのぐらい忘れていくかを記録しました。これが**エビングハウスの忘却曲線**（左図）です。この曲線をみると記憶直後が最も急速に記憶が失われ、1日後には記憶の約3分の2を失い、その後はあまり変わらないことがわかります。このグラフを見ると、**記憶を持続させるためには、何度も復習することが重要だとわかります。また復習を重ねるごとに、ほとんど忘れなくなります。**

忘却の原因

自然崩壊説
使わないと記憶内容が自然に失われていくとする説

干渉説
新しい情報により、干渉が起こり、記憶が失われるとする説

- **順向抑制**
過去の記憶が新しい情報の記憶を妨害
- **逆向抑制**
新しい記憶が過去の記憶の再生を妨害

検索失敗説
手掛かりがないなど、検索の失敗で記憶を引き出せないとする説

保持と忘却

エビングハウスの忘却曲線と復習の関係

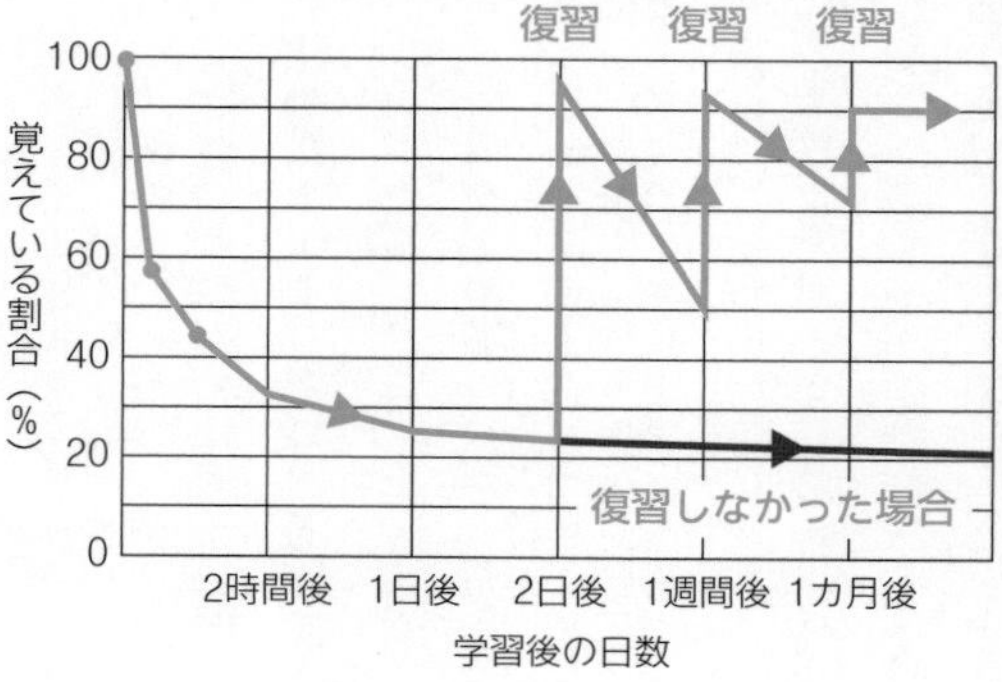

復習
復習
復習
100
80
60
40
20
0
覚えている割合（%）
復習しなかった場合
2時間後
1日後
2日後
1週間後
1カ月後
学習後の日数

記憶術を使いこなそう！

天才的な記憶力の持ち主たちの多くは、記憶術と訓練によるもの。多くの記憶術が知られているが、最近では心理学を応用したものも多い。ビジネスでも活用してみよう。

一度に何人も名刺交換をすると、誰が誰だかわからなくなったり、取引先の担当者の名前を忘れてしまったりした経験はないでしょうか。一方で、大量の人の名前を短時間で覚えることができたり、円周率をどこまでも記憶している人がいたりしますが、こういう人たちは、特別なのだと思っていませんか。

実は、一部の人を除いて記憶能力に個人差はあまりなく、記憶の達人と呼ばれている人の多くが、独自の記憶法と訓練によるものであることが知られています。

たとえば、受験勉強で誰しもお世話になったことがあるのが、「ナクヨウグイス平安京」のような語呂合わせです。また、**人の顔を動物やキャラクターにたとえて覚える**などの「連想法」を使っている人もいます。

最も古い記憶術は、古代ギリシャのシモニデスに始まるとされています。彼は座席に座っていた人を全て記憶していたことから、場所と関連する「場所法」の始祖とされ、ここから掛け金具（ペグ）に帽子や服を吊るすように、**最初に決めたイメージと覚える対象を関連させる**「ペグワード法」などが派生しています。覚えたいものを両手の指に対応させる「両手指法」なども、これらの身体版だといえるでしょう。

また、心理学を利用したものでは、短期記憶ができる意味のまとまり（チャンク）が7±2個なので（76頁）、**9以下のまとまりで覚える**「グループ化記憶法」や、長期記憶のエピソード記憶を使った**創作ストーリーで覚える**「物語法」などがあります。

いろいろな記憶術

語呂合わせ	「ナクヨウグイス平安京」（794年）や「ひとよひとよにひとみごろ」（平方根）など、言葉に変換して記憶する方法。
連想法	人の顔を動物やキャラクターにたとえて覚えるなど、連想するイメージで覚える場所法。
グループ化記憶法	情報をグループ化し、7±2以下の個数の意味のまとまり（チャンク）として覚える方法。マジカルナンバー7±2の応用。
数字文字置換法	数字を仮名やアルファベットに置き換えて言葉として記憶する方法。
物語法	覚えたいものを登場させる物語を創作し、ストーリーの中で記憶させる。
ペグワード法	掛け金具（ペグ）に帽子や服を吊るすように、最初に決めたイメージを覚える対象と関連づけていく記憶法。
両手指法	10個の覚えたいものを両手の指に対応させて覚える方法。体の部位を使う方法もある。ペグワード法の身体版。
場所法	よく知っている場所を思い浮かべ、覚えたいものと組み合わせて覚える。

記憶術は経験から発展したものだけど、最近ではマジカルナンバー7±2や記憶のネットワーク、エピソード記憶など心理学の知見を取り入れているようね。

創造性を引き出すヒラメキ

ビジネスでもヒラメキが大事。これまで全く気づかなかったことがひらめくことを、ビューラーはアハ体験と呼び、ワラスはヒラメキが生まれる4段階を提唱している。

それまで解決できなかった問題が、あるとき、関連性があるとは思えなかった個々の情報と組み合わさって、一気に解決の見通しが立つことがあります。これが問題解決における「洞察」と呼ばれる行為です。

ゲシュタルト心理学者のケーラーは、チンパンジーの檻《おり》の外に長い棒とバナナを置き、檻の中に短い棒を入れておくと、最初、チンパンジーは、短い棒でバナナを取ろうとして失敗しますが、しばらくして突然思いついたように、短い棒で、長い棒を取り、長い棒でバナナを取るようになったと言います。

また、天上から吊り下げたバナナを取るのに、あるとき急に、それまで試みたことのない、箱を積み上げて取るといった行動が観察されています。

いずれも問題解決行動が突然起こっていて、試行錯誤学習などの経験主義的な学習理論では説明することができないのです。そのため、ケーラーは、チンパンジーにも、創造的な思考能力があるとして、「洞察」と言う概念を導入したのです。

このように、これまで気づかなかったことが、急に「あっそうだ！」とひらめくことをビューラーは「アハ体験」と名づけました。一方、ワラスは、ヒラメキが起こる創造的思考を、**課題設定と試行錯誤する「準備期」、意識下で思いを巡らす「孵化《ふか》期」、そして、突然ひらめく「啓示期」と、それを裏づける「検証期」の4段階**としています。ビジネス・シーンでもこの4段階を経て新しい発想や商品が数多誕生しています。

アイデアが生まれる仕組み

アハ体験とは？

「あっ、そうか！」と突然ひらめいた体験をビューラーは「アハ(aha) 体験」と呼びました。

ワラスの創造的思考の４段階

アメリカの心理学者ワラスは、新しいアイデアが生まれるときのプロセスを、以下の図のような４段階で説明している。これによると、「ヒラメキ」は突然起こるものではなく、その前段階に、知識の蓄積とそれをもとにアイデアを熟成する２段階があることがわかる。知識の詰め込み学習は、創造力を欠如させるとする考え方があるが、**知識の習得とその応用の両方をバランスよく行うことによって、アイデアは生まれる**ともいえるのだ。

第１段階	第２段階	第３段階	第４段階
準備期	孵化期 （あたためる）	啓示期 （ひらめく）	検証期

知識・情報を集め、問題解決を整える。	無意識で知識・情報があたためられ、アイデアが熟成。	突然、啓示を受けたかのようにアイデアが思い浮かぶ。	アイデアを検証し、実現化をはかる。

ビジネスにもEQの高さが必要

IQは確かに知能を測る指標の1つだが、IQが高い人が創造性が高く優秀で社会的に適応できるとは限らない。最近では、IQでは測れないEQが重視されてきている。

IQをはじめとした知能検査は言語や記憶力、計算力や図形処理といった認知的スキルにかたより、実用的で社会的な知能を測ることができないと言われはじめています。

実は、そもそもビネーの知能検査では、30項目の質問中、認知的スキルの他に、お金の使い方や、紐《ひも》の結び方、困ったときの対処法など実用的で社会的な視点もあったのです。ところが、その後の改定で失われてしまったのです。

また、知能検査の多くは、解答が決まっていて、ギルフォードが設定した「拡散的思考能力」のような、創造的活動の基盤となる知性を測ることは難しく、IQが高い人が創造性が高いとも限らないのです。

しかし、それでも私たちは、「知能の高い人」が「頭のいい人」だと考えがちですが、実際のところ、IQが高くても社会の中で適応できない人やIQが低くても社会的に成功している人はいくらでもいます。

最近では、ゴールマンがIQでは測れない情動指数（EQ）を提唱し、**情動に関する能力も知性の一部だと考えられるようになってきました。**自分の本当の感情を自覚し、納得できる判断を下せる能力、怒りや衝動を抑え、感情を支配できる能力、楽観的に物事をとらえ、目標に向かって自己を動機づける能力、他人の立場を理解し、気持ちをくみとる能力、集団の中で協調性を失わず協力関係を築ける対人関係能力の5つですが、いずれもビジネスに必要な能力ばかりです。

ＥＱとは何か？

情動に関する知能指数

ＩＱがいくら高くても社会の中で協調できない人もいる一方で、
ＩＱが低くても社会的に成功している人も多い

↓

ＩＱでは測れない情動に関する指数が必要

↓

ゴールマンは、情動指数ＥＱを広める

↓

人間性の豊かさの指標として注目される

情動指数 EQ（Emotional Intelligence Quotient）とは

EQ（情動指数）	EQの能力構成要素例	自己認識力	自分の本当の感情を自覚し、心から納得できる判断を下せる能力。
		自己制御力	怒りや衝動を抑え、感情をコントロールできる能力。
		柔軟性	楽観的に物事をとらえ、目標に向かって自己を動機づける能力。
		共感性	他人の立場を理解し、気持ちをくみとる能力。
		社交能力	集団の中で協調性を失わず協力関係を築ける対人関係能力。

スキル・アップ編

コミュニケーション・スキルを磨こう！

何でもメールやLINEで済ませていると、誤解が生じたときに収拾がつかなくなる場合もある。大事な話は直接会って話し合うリアルなコミュニケーション・スキルを磨こう。

最近は、同じ部署の同僚ともメールやＬＩＮＥでやり取りする社員や、電話が鳴ってもとれない社員が増えています。こうしたメールやＬＩＮＥなどのインスタント・メッセンジャーは、直接相手と接しないで済むため心理的な障壁が低く、タイミングを選ばないことや、記録が残るなどの多くのメリットがあります。

しかし、逆に、**感情の行き違いが生じた場合、取り返しのつかない事態に発展することもあります。**人は、限られた情報から相手の言いたいことを推測する際、「妄想性認知」といって間違った思い込みをして、誤解を生む場合があります。また、すぐに返信がないと、「内容に問題があったのでは」とか、「無視しているのでは」と不安になることもあるでしょう。

こうした問題を避けるためにも、**デジタル・コミュニケーションの利点や特性を知って上手に活用すべき**です。たとえば、先方の口約束をメールで確認し、記録を残す一方で、契約の詰めは直接会って話をするなどです。メールでのトラブルも、直接会えば、なんだそんなことかと、すぐに解決する場合も多いのです。

しかし、同じ部署の人ともメールで済ませたり、電話をとれなかったりするのはシャイネス（恥ずかしさ）が強い人にもみられますが、多くは、リアルなコミュニケーション・スキルが低くなっているからです。できるだけ会社の行事に参加するとか、飲み会の幹事役を買って出るなど、スキルアップに努めることが、コミュニケーション・レスの解消にもなるはずです。

デジタル・コミュニケーションの功罪

メリット ⟷ **デメリット**

メリット	デメリット
・主張しやすい	・一方的になりやすい
・話が下手でもよい	・地位や関係を無視してしまう
・外見上の偏見でみられない	・気持ちや反応がつかめない
・いつでも送信できる	・未返信や未読で不安に
・証拠の記録が残せる	・不利な記録が残る
・周囲の目が気にならない	・周囲の目がとどかない

コミュニケーション・スキルを磨くために

- ●人の話を良く聞く　好意の返報性
- ●自信を持って話す　ハキハキと大きな声で
- ●伝える内容を整理　わかりやすく平易な言葉で
- ●身ぶりや態度にも注意　ノンバーバル・コミュニケーションを磨く

飲み会などの幹事を務めたり、社内行事へ参加したりして、できるだけコミュニケーションをとるようにしよう。

Column 3

キャリアの８割は偶然!?

頑張って希望の大学に入り、就活で望む企業に入れたとしても、自分のやりたい部署に配属されるとは限りません。

職業選択とキャリア形成を研究しているスタンフォード大学の心理学教授ジョン・クランボルツによると、アメリカの社会人の中で、18歳のときに就きたかった職業に就けている人はたったの2%に過ぎないと言います。彼は、キャリア形成に、影響を与えるものとして、生まれながらの素質、環境条件や出来事、学習経験、課題への習熟度を挙げていますが、なかでも、偶然の出来事が無視できないと言います。社会的な成功者のキャリアを調べると、なんと8割は偶然の出来事や予期せぬ出会いによって生まれていたのです。この調査結果をふまえてクランボルツが提唱したのが、「計画的偶発性理論（Planned Happenstance Theory）」です。彼は、自分のキャリアアップのために、その偶然を計画的に生み出そうと考えたのです。そのために挙げているのが以下の５つの行動指針です。

1．好奇心　　新しい学びのチャンスを模索し続けること
2．持続性　　失敗にめげず、粘り強く努力し続けること
3．柔軟性　　様々な状況や偶然の出来事に対応できること
4．楽観性　　予期せぬ出来事をチャンスと捉えること
5．冒険心　　結果が不確定でも行動を起こすこと

つまり、こうした行動指針を持って、日々努力している人に、偶然のチャンスが舞い込むというのです。偶然を信じるあなたも、信じないあなたも、この行動指針を守れば、キャリアアップにつながるかもしれません。

Chapter

3

職場で使える心理学

〔会議・交渉編〕

有意義な会議にする方法

大人数の会議になればなるほど発言が出てこない。人数が多くなると各人が手を抜く現象で、それぞれの役割を自覚させ、あらかじめ考えを持ち寄ることで手抜きを防止しよう。

大勢で何時間も会議しているのに、何のアイデアも出てこないことがないでしょうか。こんなに人数がいるんだから、どうして1人ぐらいいいアイデアが出ないのだろう。普通、1人よりも2人、2人よりも3人と、人数が増えれば増えるほど仕事が進むと考えがちです。ところが、そうではないのです。

リンゲルマンは、人が綱引きをするときどれぐらい力を入れるのか人数を変えて計測しました。その結果、1対1で綱を引くより、人数が増えれば増えるほど、1人あたりの引く力が弱くなったのです。

同じような結果が、アメリカの社会心理学者ラタネたちの実験でも報告されています。被験者に、できるだけ大きな音で拍手や声を出すよう命じた場合、集団の人数が増えれば増えるほど、1人あたりの音圧が小さくなっていったのです。これは「社会的手抜き」と呼ばれるもので、**集団が大きくなればなるほど、個人の評価が難しく、仕事がつまらない場合は、自分1人くらい、やらなくても大丈夫だと思って、手を抜くようになる**のです。したがって、個人別の仕事量が計測される場合や仕事が面白いと感じている場合は、こうした手抜き現象は起こらないといえます。

つまり、会議においても、集団のメンバーそれぞれに、役割を自覚させ、あらかじめそれぞれが考えた意見を持ち寄って会議を進めるのです。そうすれば、集団的手抜きを防ぐことができるだけでなく、長時間の無駄な時間を省くことができます。

社会的手抜きの実験

ラタネの実験

被験者に、なるべく大きな声を出したり、大きな拍手をするように求める。実験の参加者が増えるほど、右図のように1人あたりの音圧は小さくなった。

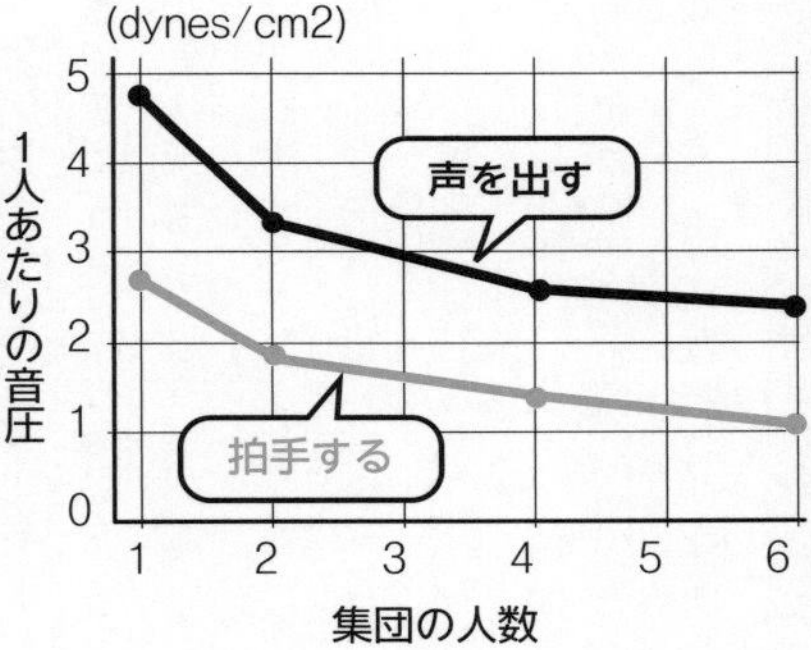

参加者が増えると…　➡　おのおのが手抜きをする

会議でも参加者が増えると…

参加者が増えると…　➡　おのおのが手抜きをする

会議でも人数が増えれば増えるほど、1人1人が発言しない「社会的手抜き」が発生する。有意義な会議のためにはあらかじめ意見を考えてこさせるなどの工夫が必要だ。

会議・交渉編

会議をリードする座り方とは？

会議の席順は、実は心理的な距離やポジションを反映したもの。スティンザー効果を使って、席順を選ぶことで、会議を有利にリードできる可能性もあるのだ。

会議で座る位置は、なんとなく決まっているようですが、実は、心理的な距離や位置関係が強く影響しているのです。

たとえば、リーダーや議長が座る位置は、全体を見渡せ注目が集まりやすい、左の図のAかCの位置になり、さらに、入り口から遠い方が選ばれます。いわゆるお誕生日席と同じと考えて良いでしょう。また、Aは強いリーダーシップ、Cは人間関係重視のリーダーが座るとされ、Aにリーダーが座り、リーダーのサポーターがCに座るのがいいとされます。また、リーダーに近い方のBとDは、リーダーに同調しやすく、リーダーから遠く、入り口に近いBとDは、発言に消極的な人が座る傾向があります。

以上は、定番の席順ですが、大事な会議であなたが主導権をとりたいなら座る位置を考えるべきでしょう。

小集団の心理を研究してきたアメリカの心理学者スティンザーは、50年もの観察研究の結果、大変興味深い法則を発見しました。それは、「反対意見を持つ相手は正面に座りたがる傾向がある」「ある発言が終わった時、次に発言するのは、その意見に対して反対者である場合が多い」「議長のリーダーシップが弱いと正面同士で話したがり、強いと隣同士で話したがる」というものです。これを応用すると、あなたが会議で通したい案件がある場合は、暗に**賛成意見の人を正面に座らせ、反対意見の人を隣に座らせてみましょう。**隣からの反対意見は切り出しにくくなるはずです。

会議の効果的な席順

Ⓐ：入り口から遠い側が、強力なリーダーシップ型のリーダーや議長席。主導権をとりたいときの席。

Ⓒ：入り口から遠い側が、人間関係重視型のリーダーや議長席。Ⓐにリーダーが座った場合はリーダーのサポーターが座る。

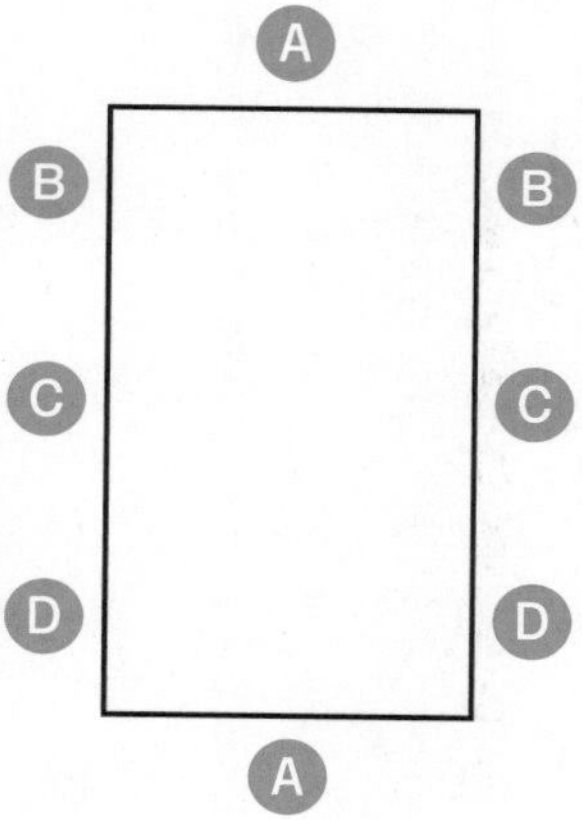

ⒷⒹ：自由に議論してもらいたい人の席。入り口より遠く、リーダーよりの席はリーダーに対して同調的。逆に入り口に近い席に座るのは会議に消極的な人。

スティンザー効果の略図

アメリカの心理学者スティンザーが提唱した会議での座り方の効果を簡略化すると、正面に座った者同士が対立関係、横に座った者同士が同調関係にある。

集団の意思決定に潜む罠《わな》

集団規範によって強くまとまった集団が、不敗幻想を持ち反対意見を圧殺するようになると、個人の考えよりも劣った不合理で極端な判断をしてしまう。

日本では昔から「船頭多くして船山に上る」と言われるように、バラバラでまとまりに欠けた集団では、おかしな方向に進んでしまうと言われてきました。では、集団規範によってよくまとまった集団が間違った方向に進むことはないのでしょうか。

ジャニスは、真珠湾攻撃から、朝鮮戦争、ベトナム戦争、ウォーターゲート事件などの政治的失策が行われた経緯を分析し、アメリカ大統領とその側近を1つの集団ととらえて、彼らの意思決定の過程から集団の心理的傾向をモデル化しようとしました。

彼は、凝集性が高く、閉鎖的で集団斉一性への圧力が強く働く集団が、集団の不敗幻想と集団規範への過剰な信頼をもつようになり、外部からの警告を無視し、他集団を偏見でみるようになり、自己検閲や満場一致の幻想を強めて、反対意見を圧殺するようになると、不合理で個々人の思考よりも劣った**集団浅慮**（あるいは集団思考）に陥ると考えました。

実際、集団で討議した場合、個人で考えるよりもリスキーな判断をする傾向（**リスキーシフト**）が知られています。ただし、成員に安全志向が強い人が多くいた場合は、より安全志向が強まる場合もあります（**コーシャスシフト**）。いずれにしても、集団思考は個人の思考より極端になる傾向があり、これを**集団極化**と呼びます。**会議で導かれる結論は、個人の判断よりも浅はかで極端なものになりやすいことを、頭の中にとどめておきましょう。**

集団浅慮（集団思考）に陥りやすい集団

凝集性が高く閉鎖的で斉一性への圧力が強く働く集団

- 集団の不敗幻想
- 集団規範への過剰な信頼
- 外部からの警告無視
- 他の集団への偏見
- 集団への疑問を自己検閲
- 満場一致の幻想
- 反対意見を圧殺
- 合意を批判する情報を無視

↓

不合理で個々の思考よりも劣った決定がなされる

リスキーにも安全思考にもなる集団極化

リスキーシフト

集団で討議した場合、1人で考えて決断するよりリスキーな判断を取る傾向。

コーシャスシフト

集団で討議した場合、成員に安全志向が強い場合、より安全志向が強まることがある。

↓

集団極化

集団の意思決定においては、成員の中にリスキーな傾向の人が多ければ、よりリスキーに、安全志向の高い人が多ければより安全志向となり、個人の判断よりも極端なものとなる。

プレゼンは説得的コミュニケーション！

プレゼンは心理学で言う説得的コミュニケーション。説得するメッセージの理解度によって2つの情報処理ルートがあるため、理解しやすく、かつ、権威づけなどが必要だ。

ビジネスに欠かせないのが、プレゼン能力です。プレゼンとは、プレゼンテーションの略で、聞き手に対して、自分の主張を受け入れてもらう技法のことです。心理学では、言葉で働きかけ、相手の態度や考えを変えることを「説得」と呼び、そのためのコミュニケーションを「説得的コミュニケーション」、説得による変化を「態度変容」と呼んでいます。ビジネスにおけるプレゼンも「説得」の一種に他なりません。

この説得の古典的な理論としては、ホヴランドらの「**メッセージ学習理論**」が知られています。「注意」「理解」「受容」「記憶」と言う一連の学習過程を通じて、メッセージ内容が、受け手の態度に残ると考えられてきました。しかし、ペティとカシオッポは、実際にはメッセージ内容をよく理解も記憶もしなくても説得される場合があるとして、「**精緻化可能性モデル**」（ELM）を提唱しています（左図）。精緻化とは、メッセージ内容を考え、吟味することで、考えようとする動機と、考える能力の有無によって情報処理のルートが変わると考えたのです。たとえば、精緻化の動機と能力が高いと「中心的ルート」を通って情報処理が行われ、そうでないと、専門家の意見だからなど、「周辺的ルート」によって直感的な判断をするのです。

こうした並列処理モデルを考えると、プレゼンの際には、**内容をわかりやすくかみ砕いて吟味できるようにすることと、資料などを準備し、専門家のデータなどで権威づけすることの両方が必要**だとわかるのです。

精緻化可能性モデル

相手から受けた説得的コミュニケーションの内容を
考えよう（精緻化）とする動機と能力

あり

なし

中心的ルート

相手のメッセージの内容を
吟味して判断

周辺的ルート

周辺的手がかり
（相手の地位・態度など）から判断

言っている内容は、
正しいかな？

権威ある専門の教授が
言うことだから、
間違いはないだろう

判断がつかない場合は
中心的ルートと周辺的ルートを
行き来しながら吟味

**主に中心的ルートを
経由して納得**

継続的な態度変化

納得され、長時間
維持される

**主に周辺的ルートを
経由して納得**

不安定な態度変化

納得されるが、一時的
なものになりやすい

納得せず

態度変化なし

納得されない

プレゼンを成功させるコツ

プレゼンで力を発揮するためには、リラックスしてのぞむことと、パーソナリティ、プログラム、プレゼンテーション・スキルの「3つのP」に注意して準備することだ。

プレゼンを成功させるには、まずは、リラックスして普段の力を出すことです。しかし、失敗を恐れるあまり、プレッシャーに押しつぶされそうになることもあるでしょう。そんなときは、オリンピック選手などが取り入れているメンタル・トレーニングが有効です。

笑顔や深呼吸、筋肉を5秒間緊張させてから一気に弛緩《しかん》状態にして10秒、これをくり返す筋弛緩法などの「リラクゼーション」や、プレゼンの成功を想像する「イメージ・トレーニング」、そして、プレゼンの様々な場面を想定し、こう質問されたら、こう答えようといった対処までイメージする「メンタル・リハーサル」などがあります。また、評価を気にせず、失敗しても大丈夫だと開き直るのも1つの手です。

次にプレゼンに大切なのが「3つのP」です。それがパーソナリティ（Personality）、プログラム（Program）、プレゼンテーション・スキル（Presentation Skill）の3つです。パーソナリティは個性や人格という意味で、あなた自身が受け入れられることが大切で、第一印象（22頁）をよくして好感度を上げましょう。つかみのジョークなども親しみやすい**パーソナリティの自己呈示**になります。また、プログラムですが、要約と詳細の関係からＳＤＳ法やＰＲＥＰ法があり、いずれも**最初と最後に要点を提示**することで、心理学で言う初頭効果と親近効果を利用しています。あわせてパワーポイントなどでの**ビジュアル・プレゼンテーション**のスキルアップを心がけましょう。

メンタル・トレーニングの活用

プレッシャーに押しつぶされそうになったら、オリンピック選手などが取り入れているメンタル・トレーニングが有効だ。

リラクゼーション	笑顔、呼吸法、筋弛緩法など
イメージ・トレーニング	プレゼン成功をイメージ
メンタル・リハーサル	プレゼン場面を想定

プレゼンテーションの３つのＰ

プレゼンを成功させるには次の「３つのＰ」が大切だ

パーソナリティ（Personality）

個性や人格という意味で、自分自身が受け入れられることが大切で、第一印象を良くして好感度を上げる努力をしよう。

プログラム（Program）

結論から言うと〜
なぜなら〜
例えば〜
つまりこうなります！
ほうほう

プレゼン内容のことで、「要約ー詳細ー要約」のSDS法や、「要点ー理由ー具体例ー要点」のPREP法があり、いずれも最初と最後に要約を提示することで、心理学で言う初頭効果と親近効果を利用している。

プレゼンテーション・スキル（Presentation Skill）

効率的な伝達技術のことで、パワーポイントなどプレゼン・ソフトのアニメーション機能に習熟するなど、スキルアップを心がけよう。

「先手必勝」で交渉を有利にしろ！

スポーツやゲームと同じく、交渉の鉄則は「先手必勝」。先に、数値を提示した方が、それが基準点となるため交渉を有利に進めることができるのだ。

ビジネスには、いくつもの鉄則がありますが、中でも、交渉の場面での鉄則が、「先手必勝」です。スポーツやゲームの世界では常識ですが、ビジネスの交渉場面でもきわめて有効です。先手をとられてしまって、相手のペースにのまれたまま、最後までこちらの要求を通せずに終わったなんてことは多々あるものです。

交渉では、相手より先に、自分の方から要求を出すことが重要なのです。なぜなら、**先に要求を提示した場合、それが交渉の基準値となる**からです。自分の提案が基準値となることで、相手はその数字から大きく外れた数字は出せなくなるのです。

たとえば、こちらが１００万～１２０万円で受注したい仕事があるとします。相手が先に90万円で発注したいと提示されると、１２０万円までは吊り上げられず、１００万円であれば希望額内だからいいかとなります。逆に、先に１３０万円でお願いすると、先方も90万円まで値切れず、１２０万円でいいとなり20万円も高く受注できます。

実際、ノースウェスタン大学のガリンスキー教授は、コンサルティング会社と新規採用者とのボーナス交渉を調査し、先に要求額を提示した新規採用者の方が高い金額を手にしていたことを報告しています。

もちろん、うまくいかない場合もあります。しかし、その場合でも先に要求を言った方が、相手の要求をのむ形となり、折れてもらったと心理的に有利になる利点もあるのです。

交渉における「先手必勝」の法則

スポーツやゲームと同じく、ビジネスの交渉でも「先手必勝」は鉄則。先に提示した方の数値が基準点となるため主導権を握ることができる。数値は、金額に限らず、日時や量に関するものでもよい。

上司に先手を取られた場合

今日の2時までに終らせてね
3時までならどうにか…

結果的には１時間の差が生まれる

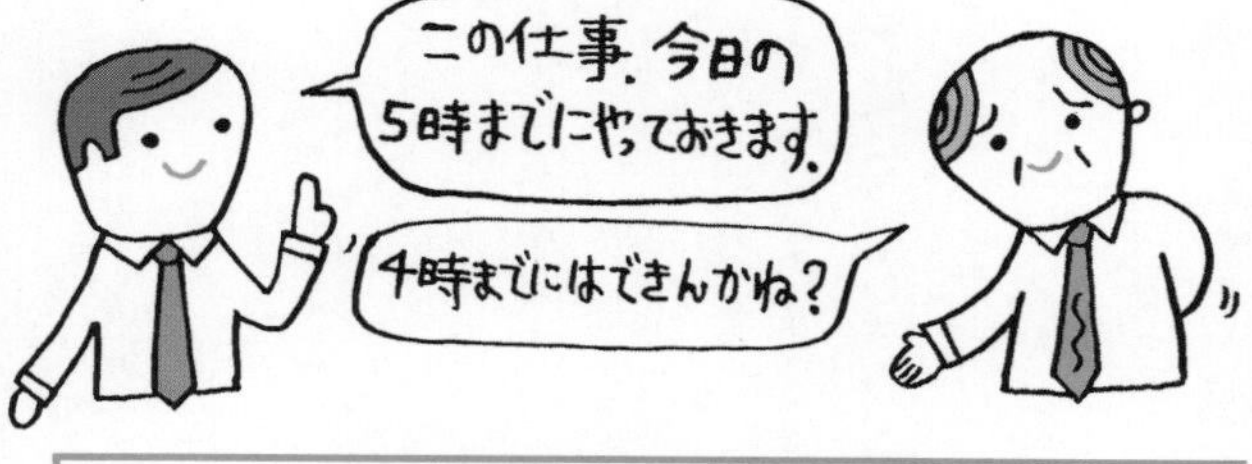
この仕事、今日の5時までにやっておきます。
4時までにはできんかね?

自分が先手を打った場合

数値的には失敗した場合でも、先手側が必ず譲歩する形となり、相手に対して貸しを作った形となり、心理的に優位に立つことができる。

多数意見で納得させろ！

個人だと正しい判断ができるのに、集団になると、周りに迎合して「同調行動」を取るようになり、明らかに間違っている答えを正しいと言ってしまう人も出てくるのだ。

周りの人間が、みんな自分と違う意見なので、不安になって意見を変えたという経験があるでしょう。人は、集団に属すると、集団からの圧力を感じてついつい周囲の意見に合わせた言動をとってしまいます。こうした行動を心理学では「**同調行動**」と言い、心理学者のアッシュは次のような実験を行いました。

7人から9人のグループごとに、基準となる線を示し、これと同じ長さのものを3本の線の中から選ばせるというものです。その結果、1人で選ばせたときは、99%が正解しますが、被験者以外、全員がサクラとなって、間違った線を選ぶと、その間違った答えに同調して、正解率は68%に落ちたのです。この実験では全員が一致しないと同調行動は起きなくなりましたが、後の研究では、数字で示しても効果があり、その場合は75%の人が受け入れていると提示すると、賛同する可能性が高いことが知られています。

これを応用すると、社内の会議やプレゼンで自分の意見を通したいと思ったら、**「すでに4分の3が実施しています」「8割の人がこう思っています」といって説得してはどうでしょう。** 同調傾向の強い日本ではより有効性が高いと思われます。

ちなみに、自分が少数意見の場合には、**ホランダーの方略**や**モスコビッチの方略**が知られていて（左頁）、リーダー的存在の人から話してもらう、あるいは、一貫した主張を持ち続けることで多数派意見を切り崩すマイノリティ・インフルエンスの方法があります。

集団に同調する心理

アッシュの同調実験

左下のAと同じ長さのものはどれ？

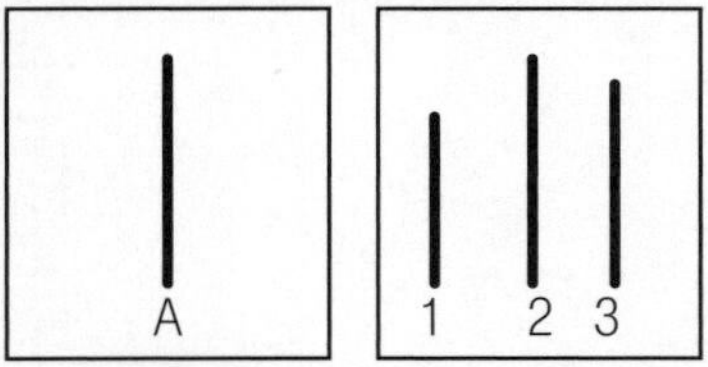

標準刺激　　比較刺激

7〜9人１組で、左上図のAと同じ長さのものを、右上図１〜３の３本の中から選ばせる

- → １人のときは99%が正解
- → 被験者以外はサクラで３を選択 → 正解は68%
- → サクラの１人が正解 → 正解は94%

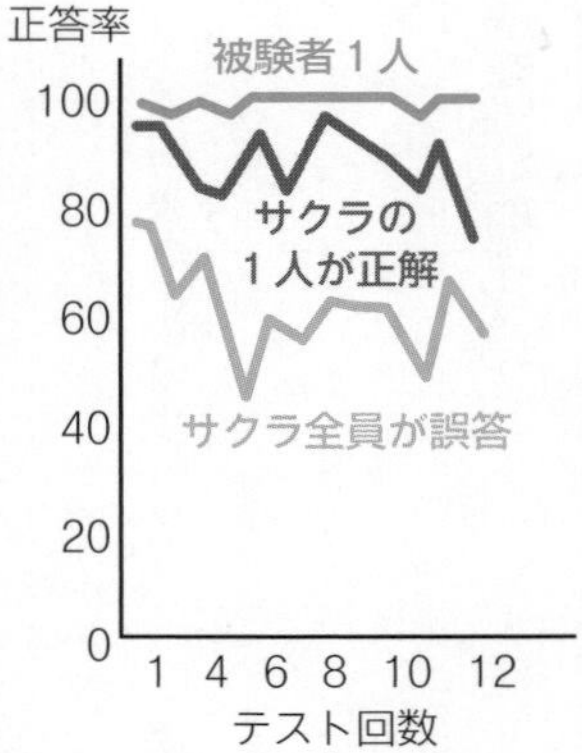

マイノリティ・インフルエンス

ホランダーの方略

少数派の中にいる、信頼に足りるリーダーによって「あの人が言っているんだから、確かかもしれない」と、多数派の意見を切り崩していく方法。

モスコビッチの方略

少数派が一貫して強い主張を持ち続けることで、多数派に「もしかすると、自分が間違っているかもしれない」と思わせ、多数派を切り崩していく方法。

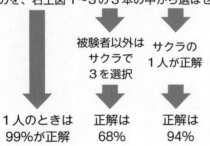

会議・交渉編

交渉相手の不満はその場で聞こう！

営業の際、説明不足や話し方に不満を抱くお客様も多い。不満は、放置すると時間とともに増大する。相手も気づかない不満や欲求を早めに吐き出させるのが得策だ。

営業や交渉の場において、結局うまくいかなかった場合、様々な原因が考えられます。商品やサービスの魅力はもとより、値段や、納品スケジュールなどの条件によるものであれば、まだ納得ができます。しかし、説明不足や話し方にあるとしたら、どうでしょう。

たとえば、プレゼンの際に、相手が、「どうも説明がわかりにくい、サンプルを持って来ればいいのに」と心の中で漠然と思ったとします。数日後に連絡すると「サンプルぐらい持ってきてよ！」と不満が増大していることもあるのです。こちらも、そう思っているなら「早く言ってよ」となりますが、相手も最初から明確に意識しているわけではなく、**時間がたつにつれ不満は増大**していくものなのです。

つまり、**営業活動においては、お客様自身も意識していない、欲求や不満があることに気づき、それをどうにか知ろうとする努力が必要**です。その際に、不満を吐き出させるだけでもいいのです。そこで、説明の後には、必ず、質問がないかどうかを尋ねましょう。それで、「ありません」と相手が応えて終わりにするのではなく、「説明の仕方に至らない点もあるかと思いますが」などと、評価を求め、不満を尋ねてみるのです。そうすると「まあサンプルでもあればね」といった不満を吐き出させることに成功するはずです。

ネガティブ感情を吐き出させると、約49％の人はスッキリするといった報告もあります（左）。**解決できなくても不満を吐き出させることが重要**なのです。

不満を放置してはいけない理由

人の不満は時間に比例して増大

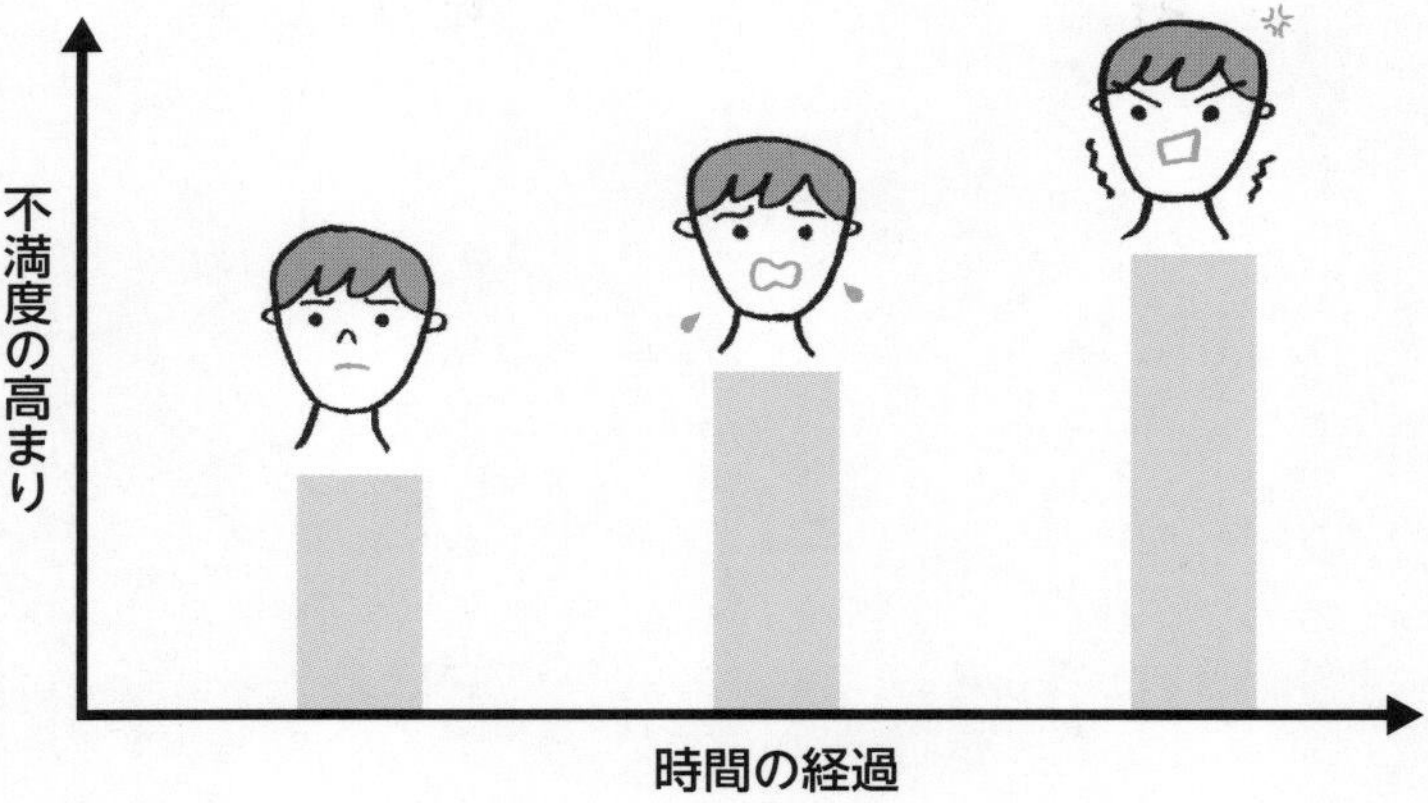

人が感じた不満は、最初はささいなものでも、時間とともに高まっていく傾向がある。相手に与えたネガティブな感情を早めに解消するには、こちらから意識的に潜在的な不満を聞き出す努力が不可欠である。

お客様も気づいていない不満を聞き出そう！

テキサス大学のジェームズ・ペネベーカー博士は不満などのネガティブ感情を吐き出させると、約49%の人がそれだけで満足したとする研究結果を報告している。

不満は早めに吐き出させることが重要

クレームへの対処法

消費者意識の高まりもあって、クレーム件数はうなぎ上り。悪質クレーマーでなければ、その意見は企業にとって宝ともなる。お客様の心情に寄り添った対応がベストだ。

近年、企業に対するクレーム件数はうなぎ上りで、テレビでも企業の謝罪会見をよく見るようになりました。これは、**コンプライアンス**（法令順守）や**アカウンタビリティ**（説明責任）の浸透で、企業に対する社会の目が厳しくなっているからです。また、消費者志向の高まりで、多くの企業が対応を迫られています。

さらに、ストレス社会を背景にキレやすい人が増えていると指摘する人もいます。怒りの感情は、期待が裏切られるなど、欲求を満たすことが阻害されたときに、その原因に対して起きる感情で、攻撃行動をともなうことが多いのが特徴です。つまり「品質が落ちた」や「店員の態度が悪い」など、第一の不快な感情があり、それに対して生じる第二感情ともいえます。

そのため、クレーマー対応では、まず、その怒りの心情を理解するため、**徹底して聞き役に回る**ことが必要です。さらに、第一感情である**不快な感情を起こさせた原因を確認**すべきでしょう。そして、お客様の怒りの心情と原因を踏まえて、解決策を提示することが大事です。最大限の誠意をみせるべきですが、法令順守の観点からも社会通念を超えた対応は厳禁です。そして最後に、解決策で終わりではなく、**お詫びと感謝を表明しお客様の心情に寄り添う**のがベストです。

金品目的やストレス発散目的の悪質クレーマーは論外ですが、**一般的なクレーマーは、対応さえ間違わなければ、再購入率の高い優良顧客となり、その意見は商品開発のヒントにもなる**ので大切にすべきでしょう。

クレームへの対処法

1. 聞き役に徹して、心情を理解

「ご不快な思いをさせてしまい、申し訳ございません。お話をお聞かせ願えますか？」と、心情理解を踏まえた対応が大事。

2. クレームの原因を確認

冷静に事実関係や状況を把握しましょう。たとえば、いつ、どこでトラブルが発生したか？どんなことが起こって、何に対して不満を感じていらっしゃるのかといった内容を正確に把握することが重要です。

3. 代替案・解決策を示す

事実を確認した後は、対応策を検討の上、なるべく早く、相手に「解決策」や「代替案」を提示するようにします。「解決策」を提示する場合は、最大限の「誠意」を見せ、お客様からの信頼をいただけるようにします。ただし、社会通念を大幅に超えた対応はすべきではありません。法令順守の観点からも、行き過ぎた対応は行わないようにしましょう。

4. お詫びと感謝を表明

解決策を提示したあとには、これで終わりだと思うのではなく、再び、今回のことに対して「このたびは、大変ご不便をおかけしまして、誠に申し訳ありませんでした」と、丁寧にお詫びしましょう。

Column 4

大切な取引先とは水曜日には会うな !?

人間関係のトラブルを避けるために注意したい曜日は何曜日でしょう。「ブルー・マンデー」と言う言葉があります。週明けの月曜日になると決まって憂鬱《ゆううつ》な気分になったり、体調不良になったりするものです。日本では、日曜夕方のアニメ『サザエさん』を見ると休日の終わりを感じて塞《ふさ》ぎ込むことから「サザエさん症候群」とも呼ばれています。かつて、アメリカで、銃乱射事件を起こした女子高生ブレンダ・スペンサーが、なぜ、銃を乱射したかと尋ねられて「月曜日が嫌いなの」と答え、歌や映画にもとりあげられました。こうしたことから、最もトラブルが多いのは月曜日だと思っていないでしょうか。ところが、アイオワ大学のスティーヴ・ダック教授の調査によると、1週間で、一番口ゲンカをした回数が多いのはダントツで水曜日という結果になったそうです。しかも、最も口ゲンカが多いと考えられていた月曜日は、むしろほかの曜日に比べて回数が少ないことがわかったのです。

休み明けの月曜日は、週末で羽を伸ばし乱れたリズムをリセットして新たな気持ちになるため、新鮮な気持ちでことにあたり、1週間が始まる緊張感から意識的に発言に注意しているのかもしれません。いずれにしても、その新鮮な気持ちが薄れて、緊張感も緩む週半ばの水曜日に口ゲンカの回数が増えるのです。つまり、人間関係のトラブルを避けるために注意すべきは水曜日で、たとえば、大切なプレゼンやクライアントとの折衝など、ビジネス上の重要な取引は意識的に水曜日をさけるのが得策だといえるでしょう。どうしても水曜日になるなら、いつもより気を引き締めてあたることです。

Chapter

4

職場で使える心理学

〔セールス編〕

価格設定で顧客をつかめ!

同じ商品なのに20円下げて１９８０円（イチキュッパ）にするだけで売り上げが伸びた。高級品は逆に、値段を上げた方が売れる。心理学を利用して売れる価格設定を考えよう。

商品は、スーパーの値づけの多くが、１９８円のように中途半端な数字になっています。２００円とたった2円しか違わないのに１００円台と考えて、安く感じるのです。これは諸外国でも同じで、欧米では99、日本では98が使われ、「心理的価格設定」と呼ばれています。実際にフランスのある研究では、99の端数にすると15%も売り上げが伸びたとする報告もあります。

一方、高額商品に関して、お金持ちの場合は、高ければ高いほど需要が増す傾向にあり、ヴェブレンは、「見せびらかし」の要素があるとして「顕示的消費」と呼んでいます。実は、お金持ちでなくても、同じような商品を比べる際、値段をわざと高くした方が高級だと直感的に思ってしまいます。なぜなら、人は、「値段が高いものほど、品質がいい」といった、**簡単に頭に浮かぶ情報を基に判断してしまう**傾向があるからで、これを「ヒューリステック」（単純化）と呼んでいます。

また、１０００円のラーメンが５００円になっていると安いと感じて買いますが、５０００円のフランス料理が４５００円になっていても魅力を感じません。それは、**物の価値が相対的で、主観的な価値判断による「基準点」によって変化する**からです。アイスクリームが実は量が少ないのに大きく盛っていると、高くても買ってしまうのと同じく、主観的判断にダマされるからです。こうした傾向は心理学を応用した行動経済学でも研究され、販売戦略に利用されているのです。

心理によって変わる価値

どちらも得なのは同じ 500 円なのに……

1000 円のラーメンを 500 円にすると買いたくなり、
5000 円のフランス料理を 4500 円にしても魅力を感じない

物の価値は相対的で、主観的な価値判断による「基準点」によって変化する

見せ方でも変わる価値

シカゴ大学のクリストファー・シーは、同じアイスクリームを10オンス用のカップに詰めた 8 オンスと、5 オンス用のカップに盛った 7 オンスの値段を聞くと、8 オンスの方が、1.66ドル、客観的な価値の低い 7 オンスの方が 2.26ドルと高く評価された。

8 オンス　**7 オンス**

$1.66　主観的な価値　$2.26

主観的な価値は、見せ方 1 つで変えられる

セールス編

制限して興味を引け！

命令されるとやりたくなくなり、禁止されるとやりたくなる。「会員限定」や「先着20名」といった制限は、こうした心理的リアクタンスを利用した販売戦略だ。

子どもの頃、親に「早く勉強しなさい！」と命令されると、決まって「今やろうと思ってたのに」と言って、勉強したくなくなったことがないでしょうか。同様に、「マンガ読むのをやめなさい！」と言われると、意地になって読み続けてしまった経験があるでしょう。

実は、反抗期や一部のあまのじゃくな人に限られたことではなく、誰にでもある心理なのです。社会心理学者のブレームは、こうした反発心のことを「**心理的リアクタンス**」と名づけました。リアクタンスとは「抵抗」を意味する言葉で、強制されたり、説得されたりする場面で心理的抵抗が起こると考えたのです。

これはパンデューラが提唱した「**自己効力感**」（60頁）からも説明できます。つまり、「勉強しなさい！」や「マンガ読むのをやめなさい！」といった命令や禁止は、自分はやろうと思えばできるという自己効力感を低減させます。これを回復しようとして心理的リアクタンスが働くと考えられるのです。

この心理的リアクタンスを利用した販売戦略が、たとえば、会員制施設や一見《いちげん》のお客様お断りなどです。会員や限られた人しか入れないと言われれば言われるほど、興味がわき、入りたくなります。さらに、この心理を効果的に演出した販売方法が、「先着20名限定」、「一日50個限定」など、すぐに品切れ状態にすることです。買えない可能性が自己効力感を低減させ、心理的リアクタンスが起こって買おうとします。また実際に買えなかった場合は、ますます欲しくなるのです。

心理的リアクタンスと自己効力感

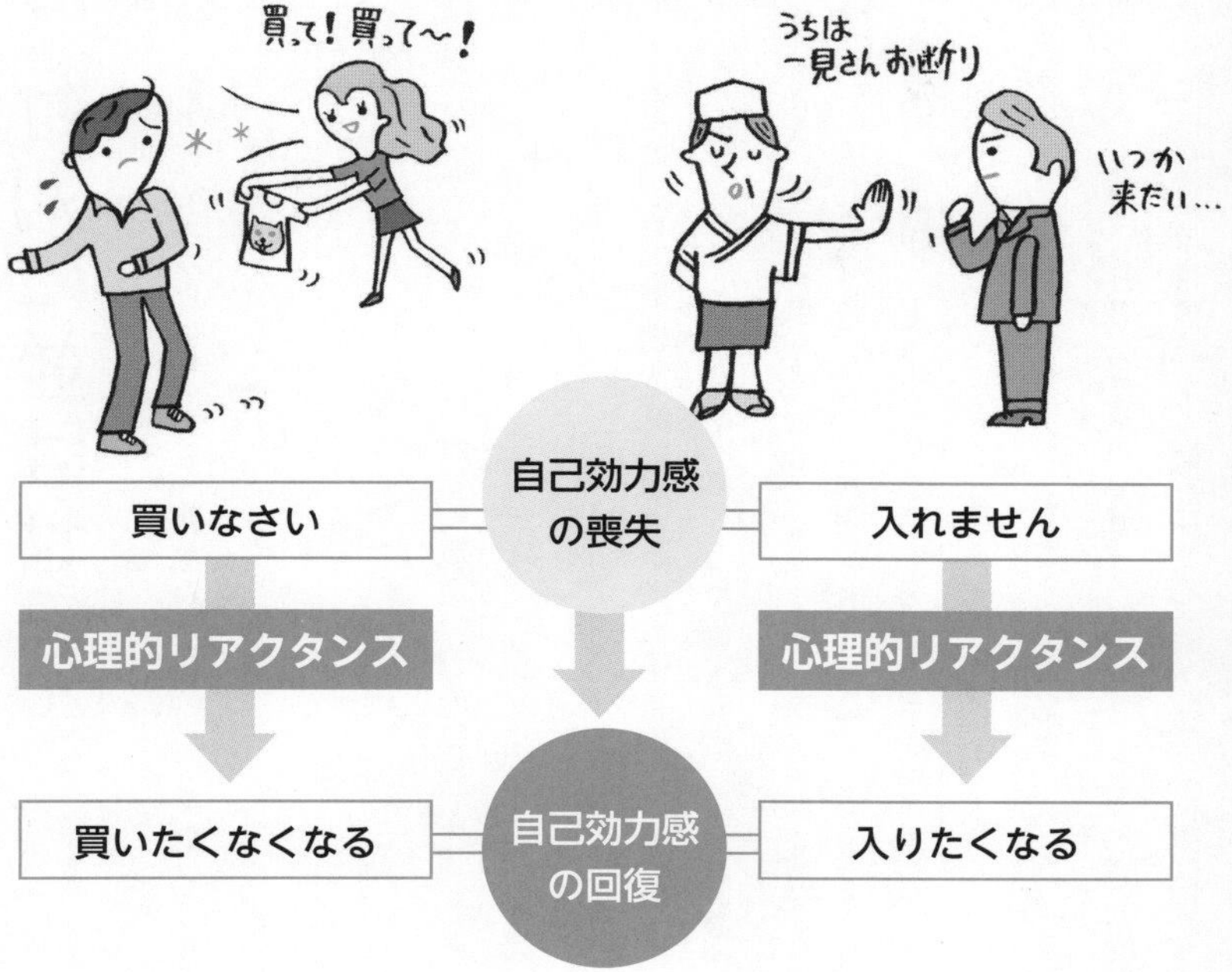

制限による効果的な販売手法

会員制施設
一見さんお断り

→ 一般の人は入れないというのが自己効力感の低減となり、心理的リアクタンスが起こり入りたくなる。

先着 20名限定
一日 50個限定

→ 買えないということが自己効力感の低減となり、心理的リアクタンスが起こり買いたくなる。

行列に並ばせろ！

行列ができていると、なんとなく並びたくなる。そこには、同調行動や自己効力感の低減に対する心理などが働いていたのだ。こうした心理を利用すれば、人気店にすることも可能だ。

　人気のお店やイベント、遊園地などで、行列に並んだことがあるはずです。こうした購買行動には、**心理的リアクタンス**（116頁）が働いていると考えられます。つまり、並ばないと購入できず、売り切れて買えない可能性もあるため、自己効力感が低減し、これを回復しようと心理的リアクタンスが働いて、どうしても購入しようと行列に並んでしまうのです。

　ところで、たまたま通りかかったお店の前で、長い行列ができていて、思わず、並んでしまったという経験はないでしょうか。アメリカの心理学者スタンレー・ミルグラムは、ニューヨークの繁華街にサクラを立たせ、6階の窓を60秒間、見上げさせました。サクラが1人のときは、40％の人が、同じように見上げ、5人になると約80％の人が見上げたのです。しかも、1人のときに立ち止まったのは4％でしたが、サクラが15人になると、約40％の人が立ち止まったのです。

　これが、他人と同じ行動をしようとする**同調行動**（106頁）で、同じ行動をする人が多ければ多いほど、自分も同じ行動をとってしまうというものです。

　さらに、新しいゲーム機やスマホの発売に、何日も前から徹夜で並ぶ人もいます。これには、誰よりも早く手に入れて、人に羨望され「**優越感**」に浸りたいという心理が働いているからです。

　人気ラーメン店のように、こうした心理を利用して、**わざと客席を少なくして、行列をつくらせることで人気店にすることもできる**のです。

行列ができる心理

心理的リアクタンス

行列に並ばないと「買えない」「入れない」となると、自己効力感が低減し、これを回復するために心理的リアクタンス（心理的抵抗）が働き、ついつい並んでしまうのだ。

同調行動

ミルグラムは、繁華街にサクラを立たせ、６階の窓を60秒間、見上げさせると、サクラが１人のときは、40%、５人になると約80%の人が見上げた。行列を見ると並びたくなるのも、この同調行動によるものだ。

優越感

ゲーム機やスマートフォンなどの新機種発売で徹夜で並ぶような場合、他の人がまだ手に入れていないものをゲットしたことで、羨ましがられ、「優越感」に浸りたいとする心理が働いている。

ブランドで買わせろ！

日本人はよくブランド好きだと言われる。そもそも人はなぜ、ブランドに魅せられるのか。その心理を知って、自分の会社やサービスのブランディングに役立てよう。

オシャレな女性に持っている財布を聞けば、ルイ・ヴィトンやミュウミュウなどのブランド名が返ってくるかもしれません。かわいいブランドで女子力アップなんて宣伝文句も見かけます。日本の女子は特にブランド品が好きだと言われるゆえんですが、人はどうしてブランドに魅せられるのでしょう。

ブランドとはもともと、家畜などに焼き印を押して、自分と他人の家畜とを区別するためのものでした。同じく、他の商品やサービスと差別化ができるよう、独自の名前をつけたものがブランド名でした。他と区別できる特徴を持つ商品やサービスは当然、価値の高いものなので、転じて、高級品などの製品のことを指すようになったのです。

つまり、ブランド品は、そもそも上質で、デザインや素材に優れたものなのです。これが、ブランド品の「1次的価値」だといえるでしょう。たとえば、シャネラーに、「どうしてシャネルが好きなの」と聞くと、多分、多くの人が、「質やデザインがいいから」と答えるはずです。つまり、1次的価値が優れているというのです。しかし、それだけではないでしょう。ブランド品を買うことで、一流品を評価できる自分、一流品を買うことができる自分をアピールしているのです。これが「2次的価値」で、**一流品の栄光にあやかって自分の社会的価値を高めようとしている**のです。「**グローリー・バス（栄光浴）効果**」と呼ばれるもので、**ブランディング戦略の前提となる心理**です。

ブランドに魅せられる心理

ブランドとは、もともと、焼き印で他人の家畜と区別したもの。他の商品やサービスと差別化ができるよう、独自につけた名前が、その特徴により価値の高いものとされ、転じて、高級品などの製品のことを指すようになる。

ブランドの価値

1次的価値

↓

ブランド品は、そもそも上質で、デザインや素材に優れ、独自性などの価値を持つ。

2次的価値

↓

ブランド品を身に着けることで、一流品を評価できる自分、一流品を買うことができる自分をアピール。

グローリー・バス（栄光浴）効果

一流品の栄光にあやかって自分の社会的価値を高めようとする効果

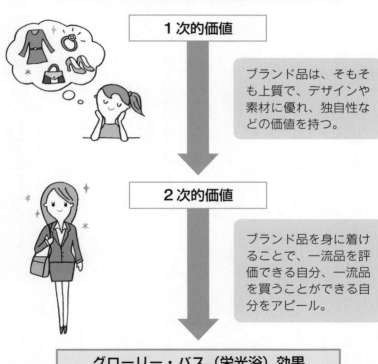

セールス編

選ばれる棚置き戦略とは?

スーパーやコンビニで、何気なく置かれている商品だが、実は、置かれる位置によって、売り上げが変わってくるのだ。親近効果を利用して売れる棚置き戦略を学ぼう。

店頭にあふれかえる商品の中で、自社の商品を手に取ってもらうためにはどうすればいいでしょう。実は、棚に並べられた同じような商品であれば、人は、**右端に置かれたものを選ぶ傾向**があるのです。

心理学者のニスベットとウィルソンは、全く同じ品質の4足のストッキングを等間隔に並べ、被験者に一番高級なストッキングを選ばせる実験をしました。すると、一番右にあるものを選んだのが40%、右から2番目が31%、右から3番目が17%、左端のものを高級としたのはなんと12%に過ぎなかったのです。なぜこうした結果になったのでしょう。人の視線は文字を読む時のように、左から右へ移動する性質があります。つまり、最初に目にするのが向かって左のストッキングで、最後に目にするのが、向かって右のストッキングだったのです。最初に見たものが覚えやすく記憶に残ることを、「初頭効果」と言います。陳列棚の商品においても、この初頭効果が働けば、一番左のストッキングが選ばれるはずです。ところが、結果は逆でした。実は、多くの情報を処理する際には、人は、**最後に認識した情報を強く記憶にとどめる傾向**があり、これを「親近効果」、あるいは「終末効果」と呼びます。そのため、視線の最後にくる右側のストッキングが記憶にとどめやすく、多くの人が選択したのです。

コンビニやスーパーで陳列棚の端に、売りたい商品やお買い得品を置いておくのは、この効果を使ったもので、置き場所も重要な販売戦略の1つなのです。

ニスベットとウィルソンによる実験

ミシガン大学のニスベットとウィルソンは、全く同じ品質の4足のストッキングを等間隔に並べ、被験者に一番高級なストッキングを選ばせる実験をした。

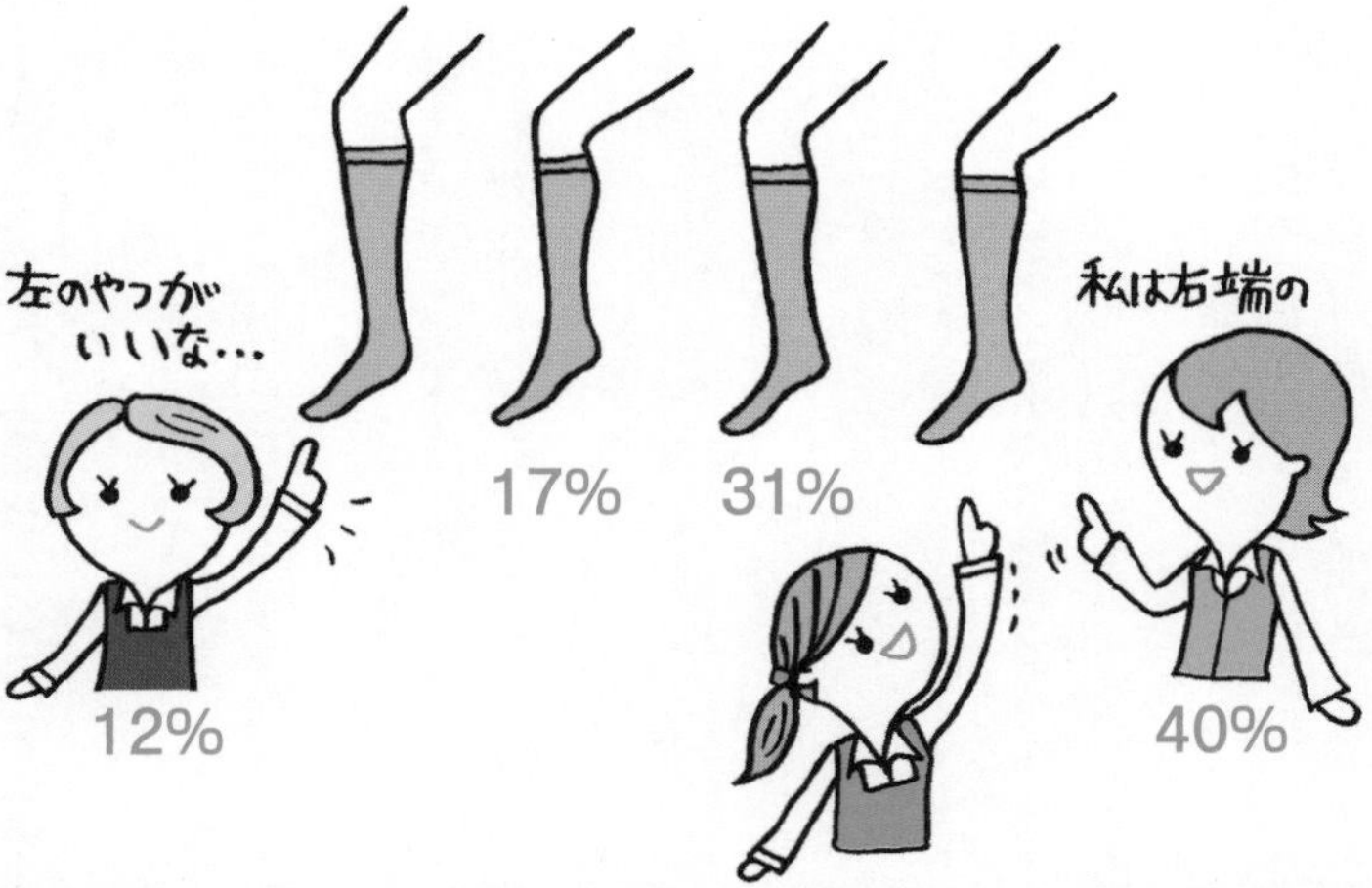

左から右へと視線を移動させるため、最後に見た右端の商品が「親近効果」により記憶に残り、選ばれる。

初頭効果と親近効果

初頭効果	親近効果
最初に認識したものが覚えやすく記憶に残ること。	最後に認識したものが強く記憶にとどまること。

流行を味方につけろ！

様々な分野でみられる「流行」のメカニズムには、独自性と同調性への欲求が関わっている。このメカニズムを知ることで商品開発や市場への商品投入の指針となるはずだ。

社会現象の1つに「流行」があります。「流行」というとファッションや音楽を思い浮かべますが、あらゆる商品にはやりすたりがあり、消費行動を左右しています。では、「流行」が生まれる心理学的な要因とは何でしょう。1つは「変化への欲求」です。誰しも変身願望や、よりよくなりたい革新への欲求があり、絶えず「流行の最先端でいたい」と思っている人は、この欲求が高いといえます。また、**自分の独自性を評価してほしい**「自己顕示的な欲求」によって奇抜な格好やオリジナルのアイデアが生まれるのです。

一方、自己顕示を嫌い、**他人と同化したがる**欲求もあります。「流行遅れにはなりたくない」と考えるのは、こうした「斉一性への欲求」によるものです。さらに、権威に憧れ、その威光を分けてもらいたいと思う「威光への欲求」があり、有名人と同じ髪形やファッションをするのもこうした心理のあらわれです。

以上4つのうち、「変化への欲求」と「自己顕示的な欲求」は、「独自性への欲求」「斉一性への欲求」と「威光への欲求」は「同調性への欲求」といえます。

E・ロジャーズは、革新的で流行に敏感な、イノベーターに始まり、初期採用者、前期追随者によって流行が広まり、後期追随者や遅滞者が取り入れる頃には流行が下火となる流行のモデルを考えています。こうした流行の心理的メカニズムを知れば、流行に乗った商品の市場投入時期や展開、撤退の時期を戦略的に考慮することも可能になるのです。

流行の４要因と２つの欲求

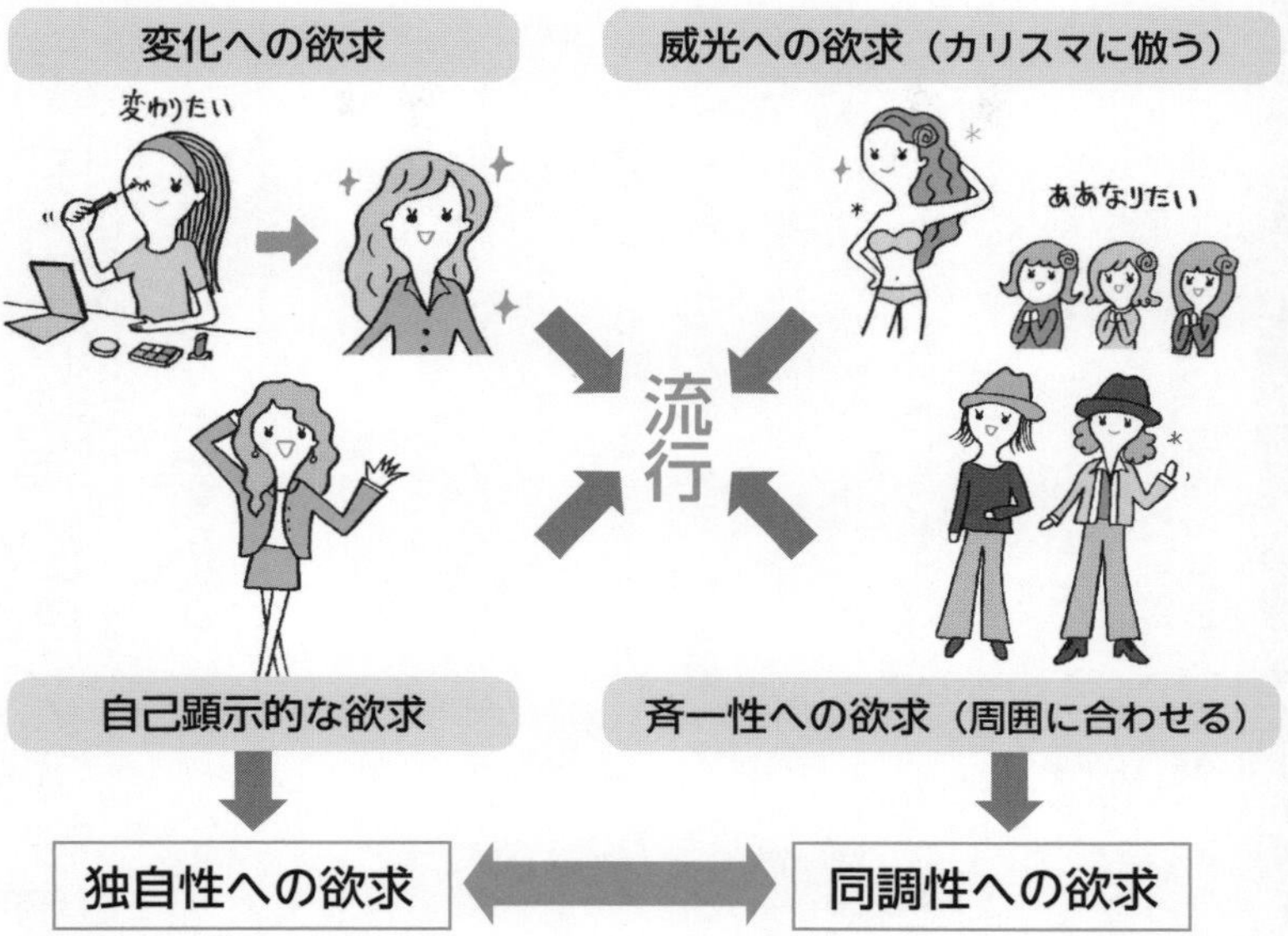
変化への欲求
変わりたい
威光への欲求（カリスマに倣う）
ああなりたい
流行
自己顕示的な欲求
斉一性への欲求（周囲に合わせる）
独自性への欲求
同調性への欲求

流行が広まるメカニズム

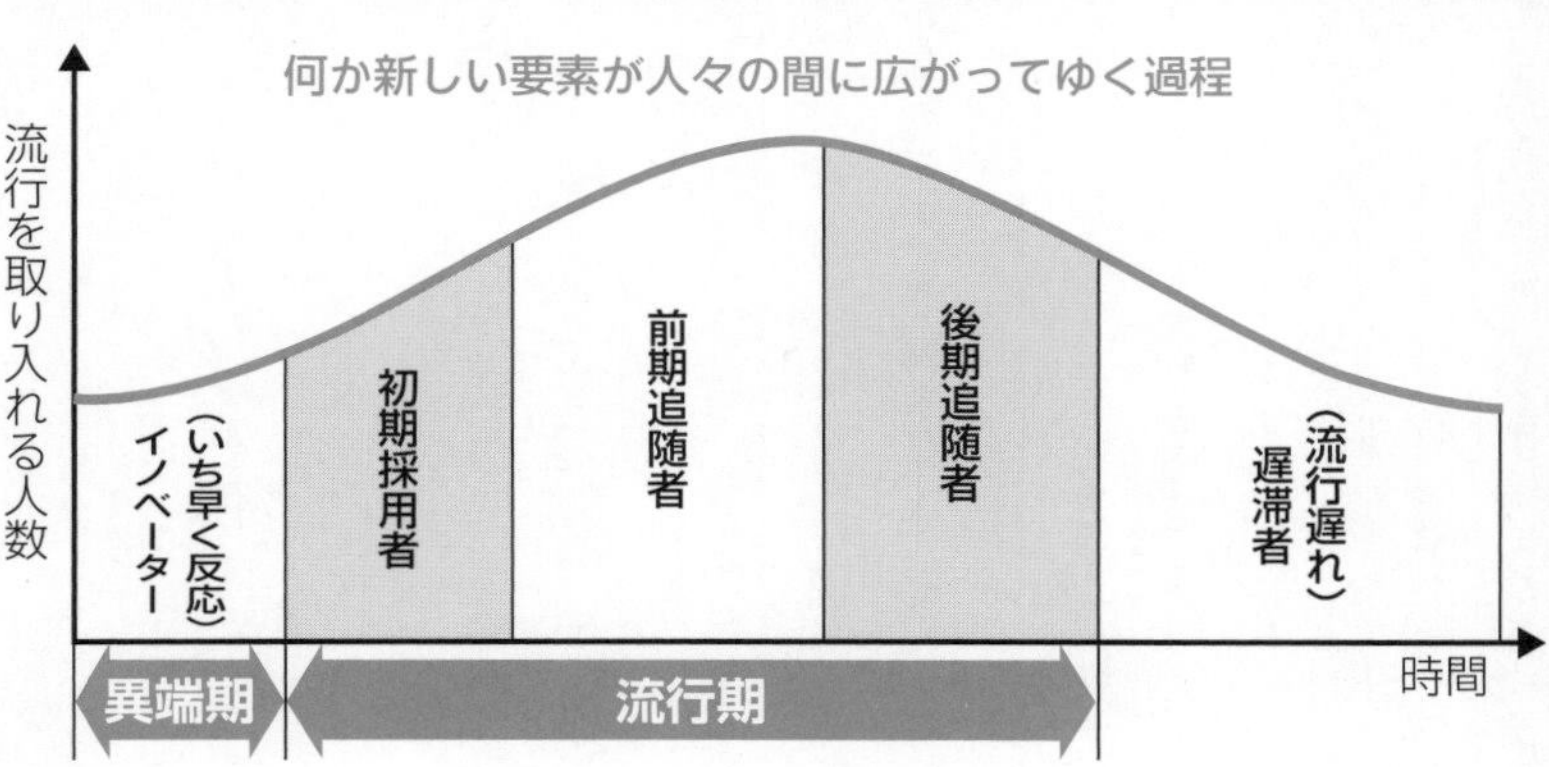
何か新しい要素が人々の間に広がってゆく過程
流行を取り入れる人数
イノベーター（いち早く反応）
初期採用者
前期追随者
後期追随者
遅滞者（流行遅れ）
時間
異端期
流行期

セールス編

試供品で買わせる心理

スーパーやデパ地下で試食をすると、ついつい買ってしまわないだろうか。そこには、「好意の返報性」と「認知的一貫性の原理」と言う、2つの心理が働いていたのだ。

マーケティング用語で、SPとかセールス・プロモーションと言う言葉があります。様々な「販売促進」のことですが、その1つに、スーパーやデパ地下などで見られる試食や試飲などの無料サンプル配布があります。しかし、なぜ、試食や試飲をすると販売業務を促進することになるのでしょう。ここにも、人の心理が応用されているのです。

たとえば、あなたが誰かに親切にされたら、その人に恩義を感じて、その気持ちに応えようとするはずです。これが「好意の返報性」と言うもので、セールス・プロモーションにもこの心理を利用しています。つまり、**試食させてもらうと、その返礼として、購入する気になり、その結果、販売が促進される**のです。

しかし、お客がこうした試食や試供品に興味がない場合もあります。つまり、試食を「好意」ではなく「お願い」と捉える場合です。それでも、購入してしまうのは、人には、行動に一貫性を保ちたいという「認知的一貫性の原理」が働くからです。**食べてくださいという「小さなお願い」を聞くと、行動に一貫性を持たせるため、購入という「大きなお願い」も受け入れてしまう**のです。これが「フット・イン・ザ・ドア・テクニック」(128頁)と呼ばれる手法です。

こうしたセールス・プロモーションは、食品だけに限りません。化粧品なども試供品を配ることで販売につなげていますし、最近では、車の販売や不動産業でも試しに使用してもらうなどの試みが始まっています。

試供品で購入してしまう心理

「好意の返報性」による購入

好意の返報性で受け入れる

試供品が客の欲しいものだった場合、「好意」となり、好意を示されると好意で返す「好意の返報性」が働いて、商品を購入する。

「認知的一貫性の原理」による購入

一貫性原理で受け入れる

試供品に興味がないと、「小さなお願い」となり、これを受け入れたことで、行動に一貫性を持たせたい「認知的一貫性の原理」が働き、「大きなお願い」の購入も受け入れてしまう。

「フット・イン・ザ・ドア・テクニック」

セールス編

セールスマンの説得術

訪問販売の世界では、昔から、人間心理を利用した説得術が使われていた。認知的一貫性の原理や罪悪感などを利用した様々な販売テクニックがあるのだ。

セールスマンの説得術には、人間心理を利用した様々な手法が使われています。

その代表的なものが、前項の試供品で買わせる手法でも取り上げた、「フット・イン・ザ・ドア・テクニック」です。**最初に「小さな承諾」をさせ、その後に、「大きな承諾」をさせる**というもので、セールスマンが「ちょっとだけでもお話を」と、ドアに足だけでも入れさせてもらうと、成約率が高まるということからつけられたネーミングです。心理学的には、最初の小さな「承諾したこと」と、物を購入するという大きな「承諾をしないこと」が、認知的不協和となり、これを解消するために、「認知的一貫性の原理」（126頁）が働いて、ついつい買ってしまうと考えられています。

一方、「ドア・イン・ザ・フェイス・テクニック」は、逆に断られることを見越して、最初から無理だとわかっている「大きな要請」を行い、断られた後に、「小さな要請」をして承諾させるものです。これは、「頼みごとをきかせるテクニック」（52頁）でも紹介しましたが、**「大きな要請」を断った罪悪感を利用して、ハードルを下げた「小さな要請」を承諾させる**もので、いろいろな場面で使えるテクニックです。

また、「ロー・ボール・テクニック」は、その名の通り、取りやすい低いボールの意味で、**最初に買いやすい値段で承諾させた後、様々な理由で値段をつり上げていく手法**で、「認知的一貫性の原理」により、一度買うと言うと、なかなか断れないのです。

説得のための代表的なテクニック

フット・イン・ザ・ドア・テクニック

名刺交換だけでも…
せっかくなので
説明だけさせてください
小さな承諾
大きな承諾

小さな承諾をしたことで認知的不協和が生まれないように大きな承諾もしてしまう。

ドア・イン・ザ・フェイス・テクニック

100万円です
ムリムリ
こちらですと70万円です
それならなんとか…
大きな要請
小さな要請

最初に大きな要請をし、相手が断った罪悪感を利用して、小さな要請を承諾させる。

ロー・ボール・テクニック

50万円です
安いね買うよ
あ、この仕様に合わせると70万円ですね
もう買うと言ってしまったしな
小さな要請
大きな要請

低価格で「買う」と言わせ、値段をつり上げても一貫性の原理で買うと言ってしまう。

セールス編

セールストークの心理学

広告コピーやキャッチフレーズ、セールストークなどには、同じようなフレーズが使われている。そこには、購買につながる心理テクニックが多用されているのだ。

テレビショッピングや実地販売では、同じようなセールストークをよく聞きます。そこには、応諾獲得のための様々な心理テクニックが潜んでいるのです。

たとえば、「お客様だから勉強させていただきました」などと言いますが、これは、試供品による販売促進（126頁）でも説明した好意を受けたら、好意で返す「好意の返報性」に訴える説得術で、値引きを好意として提示することで、購入を促しているのです。

また、よく使われるのが「期間限定」や「残りわずか」といった「希少度」を強調するフレーズです。今買わないと買えなくなるという自己効力感の低減に対して心理的リアクタンスが働き、購買意欲が増すためで、行列に並ばされる心理（118頁）と同じです。

さらに、「有名な××先生推薦」などは、人が権威**に服従しやすい傾向**を利用したものですが、「タレントの××さんも使っている」といったフレーズもよく聞きます。これは「好感度」の高い人からの説得は受け入れやすいだけでなく、「社会的証明」として提示され、**他人の行動を参照する傾向に訴えている**のです。

一方、「かなり高いが、お値打ち品」のように**悪い面も提示している**「両面提示」のコピーがあります。商品情報に詳しい人に対しては信頼度を上げ、購入の抵抗感を下げることになります。また、他者の反応などの「状況要因」も忘れていけません。たとえば、テレビショッピングで、観客の歓声や拍手をわざと入れるのは**他者の反応を気にする心理を利用**しています。

セールストークに潜む心理テクニック

お客様だから勉強させていただきました！

好意の返報性

好意を受けたら、好意で返すという返報性に訴える説得法。好意的な行動としての値引きを提示することで、お返しとして購入を促す。

あの ×× さんも使ってるんです！

社会的証明

他人の行動を参照しようとする傾向に訴え、他の人も同じ行動をとっているという情報を与える。

期間限定 10万セット !?
残りわずかです！

希少度

人には、心理的リアクタンス（自己効力感を保持しようとする傾向）があり、今買わないと買えないという状況を強調することで購買意欲が増す。

お客さん、お目が高い！

好感度

好感度の高いタレントに宣伝させるように、好意を持っている相手からは説得されやすい。相手をほめて好感度を上げることで説得しやすくなる。

有名な ×× 先生が
推薦してるんです！

権威

人が権威に服従しやすい傾向を利用し、大学教授や専門家に推薦させたり、自ら××コンシェルジュなど、偉いと思わせる肩書や地位を提示したりする。

さっき欲しいって
言いましたよね！

認知的一貫性

認知や行動を一貫させようとする傾向があるので、前もってとらされた行動を再度行う。たとえば、フット・イン・ザ・ドア・テクニックやロー・ボール・テクニックに利用。

ほら、スタジオの
お客様も感心して
ますよ！

状況要因

説得には状況要因も大切で、その1つに他者の反応がある。たとえば、他の観客が拍手を送ると、肯定的な態度変化が見られる。テレビショッピングなどでスタジオの観客の拍手や歓声をわざと入れているのもこのため。

かなりお高いですが、
お値打ち品ですよ！

両面提示

良い面だけではなく悪い面も提示することで、信頼度を上げ、購入反対の意見に対しても抵抗力をもつようになる。

Column 5

CMに込められた心理戦術!?

広告やテレビCMにも、人間の心理が利用されています。

たとえば、「この春のトレンドは、花柄の予感！」といったキャッチ・コピーが雑誌に躍ると、ほどなくして、花柄を着た女の子が街にあふれます。雑誌やネットで、流行が紹介されるたびに、ついついそれに乗せられて洋服を買ってしまうのです。これは「バンドワゴン効果」と呼ばれ、楽隊が乗ったパレードの先頭車両で「今からお祭りが始まるよ！」と騒ぐと、それにしたがってパレードについて行ってしまう傾向があるのです。

こうした流行の仕掛け方は、ファッションだけでなく、タレントやアイドルも同じで、「女子高生に人気のお笑いコンビ」や「今注目の大型新人」など、出てきたばかりなのにすでに人気があるかのように宣伝することで、すぐにも人気に火がつくのは、このバンドワゴン効果によるものです。しかも、CMやテレビに出ている姿を見る回数が増えれば増えるほど、より好意をもってしまうのです。これは「単純接触効果」あるいは「ザイアンス効果」と呼ばれるものです。

また、CMなどで、「乾燥肌が気になるあなたに」とか、「体脂肪が気になる方へ」と呼びかけるCMがありますが、普段なら何気なく見ているCMも、自分が気にしていることに関しては、自然と耳に入ってくるはずです。「カクテルパーティ効果」と呼ばれるもので、にぎやかなパーティの席でも、知り合いの声だけは聞こえることから名づけられたもので、人には自分が気にしていることだけ、選択的に聞き取る能力があるのです。

Chapter

5

恋愛で使える心理学

〔出会いとアタック編〕

やっぱり見た目が大事だが……

合コンなどで初めて会った相手の評価はやっぱり見た目。美人やイケメンはハロー効果で性格までもよく見えてしまう。しかし、効果の期限が過ぎると評価が逆転することも。

異性との出会いでも、第一印象（22頁）が大切です。よく見た目より心が大切と言いますが、初めて出会った人の心までは推し量れません。やっぱり美女やイケメンが得なのかと聞かれると、とりあえずはＹＥＳです。なぜなら、対人魅力（24頁）として、**重視されるのが、男女ともに「外的魅力」で、性格までも美女やイケメンの方がいいと判断される**傾向にあります。

たとえば、フランスの実験で、写真つきの２８０人の女性の履歴書を、４００人の男性面接官に提示し、性格について想像してもらいました。すると男性たちは顔写真を重視し、美人に対しては「彼女はお人好し」「ウソをつけないタイプ」といった高評価を下し、その率は不美人の7倍にも上ったのです。男性の場合も、「モデルの方が採用試験の書類選考に通過しやすい」「身長の高さが年収に影響する」「アメリカ大統領も、背の高い候補者が勝利する確率が圧倒的に高い」といった研究が知られています。つまり、男女ともに見栄えのよさが「ハロー効果」（24頁）となって、性格や能力までも良く見せているのです。

しかし、見ばえが悪くても悲観する必要はありません。「美人は3日で飽きる」と言われるようにハロー効果の有効期限は短く、相手を知れば知るほど効果は減少。小さな欠点でも期待が大きいだけに大きく評価を落とします。これが「ロス効果」と呼ばれるもので、逆に、そうでない方は、**期待値が低い分、ちょっとしたことで評価が急上昇。**これが「ゲイン効果」です。

やっぱり「外的魅力」が大事

280人の女性の履歴書（顔写真、自己PR、経歴、趣味、結婚歴、家族、出身地、年齢など）を、400人の男性面接官に提示し、性格について想像してもらったフランスの実験。

不美人

↓

低評価

・意地悪
・計算高いタイプ

美人

↓

高評価

・彼女はお人好し
・ウソをつけないタイプ

7倍もの高評価

「ロス効果」と「ゲイン効果」

ハロー効果の有効期限が過ぎて、認識の修正が起こると、ロス効果とゲイン効果によって評価は逆転する。

標準的評価

良いハロー効果
美人やイケメンは
性格もいい！

↓

ちょっとした嫌な
ことで幻滅される
ロス効果

悪いハロー効果
顔が悪いので
性格も悪そう！

↑

ゲイン効果
ささいなことで
評価が急上昇！

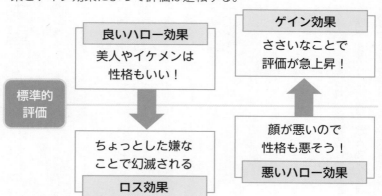

相手と「釣り合う」ことが大事

「マッチング仮説」によると、外見的魅力が釣り合ったもの同士がカップルになりやすい。しかし、要は、気持ちの上で、互いに相手と釣り合うことが重要だ。

「似たもの夫婦」と言う言葉があります。そういえば、美男美女のカップルもいれば、個性的なもの同士のカップルも結構いて、確かに似たタイプの男女が結婚している例が目につきます。

実はこの傾向は、科学的にも検証されています。心理学者のマースティンは、99組のカップルの写真を用意し、男女８人の評定者に身体的魅力度を５点満点で評価させました。すると、２人の点差が0.5点以下のルックスの釣り合いが取れたカップルが60組、0.5点より上の見た目が不釣り合いなカップルが39組になったのです。この結果から「美男子は美女と、普通の男子は普通の女子と付き合う場合が多い」として「**マッチング仮説**」を唱えました。

この説からすると、付き合いたい人の容姿に近づければ、付き合える可能性が高くなるといえます。しかし、美男美女と付き合いたいからといって、整形までするわけにはいきません。それに、「どうしてあんな美女とあいつが付き合えるんだ」とか、「あの子にどうしてあんなイケメンが」と嫉妬される「ミス・マッチング」なカップルもいないわけではありません。

相手とのルックスのレベルがあまりにも異なる場合でも、性格の良さや、豊富な知識、地位や経済力など、相手にとって「釣り合っている」と感じさせればＯＫなのです。肝心なのは、**変えられない容姿に悩むことよりも、相手と釣り合うように努力できる部分で自分を高めていくことが大事**なのです。

釣り合った容姿を選ぶ「マッチング仮説」

心理学者のマースティンは、99組のカップルの写真を使い、身体的魅力５点満点で評価させると、２人の点差が 0.5点以下のルックスの釣り合ったカップルが 60組、釣り合わないカップルが 39組になった。

ルックスの釣り合ったカップル　**60組**

ルックスの釣り合わないカップル　**39組**

パートナーに選ぶのは、自分と身体的魅力の釣り合いがとれた相手であるとする仮説が「マッチング仮説」だ。

容姿だけでなく「釣り合う」感覚が大事

容姿だけだと、あまりに魅力的な人だと高《たか》嶺《ね》の花と思って敬遠してしまう。

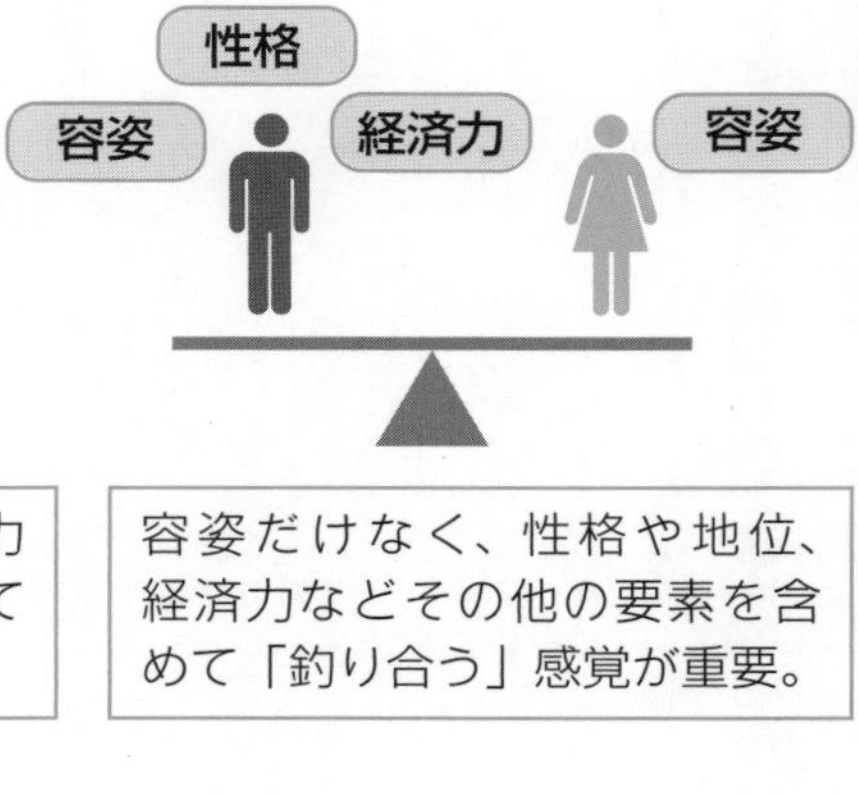

容姿だけなく、性格や地位、経済力などその他の要素を含めて「釣り合う」感覚が重要。

出会いとアタック編

1つでも共通する深い趣味を持とう！

趣味が合わないと恋愛関係に発展しづらい。認知的バランス理論からも共通の趣味が大事なことがわかるが、共通する趣味の多さより深さが大事なのだ。

人を好きになって、恋愛関係にまで発展するには、「共通の趣味」や「考え方が近い」といった類似点があることが重要です。たとえば、趣味が合わず、徐々に嫌いになって別れた経験はないでしょうか。

アメリカの心理学者ハイダーが提唱した「認知的バランス理論」では、自分と相手、そして、趣味などの対象の関係を三角形で表し（左図）それぞれの関係が好意的であれば＋、否定的であれば－とし、この3つの掛け合わせが＋にならないと、不快なって＋にしようとすると言います。たとえば、絵の趣味が自分は＋、相手が－、自分と相手の関係が＋だと、全体で－になり、趣味を変えない以上、相手と自分を－にするしかないのです。

これは「社会的交換理論」によっても説明できます。人は、単なる金銭や物とは別に、達成感や喜びといった「心理的報酬」を感じています。たとえば、絵の趣味のない彼を美術館に連れて行くには、「心理的負担」が増大し、「心理的報酬」を感じられなくなります。逆に、**趣味が共通だと「心理的負担」が軽減し、大きな「心理的報酬」を得られる**のです。

では、類似点が多ければ、親密になれるかというとそうではありません。学生たちへの趣味や嗜好《しこう》のアンケートを使った実験で、類似する項目数が少なくても、類似度が高い方が好意を持つことがわかっています。つまり、**共通する趣味の多さではなく、共通する趣味が1つでも深ければいい**のです。

認知的バランス理論による共通趣味の重要性

アメリカの心理学者フリッツ・ハイダーが提唱した「認知的バランス理論」では、自分と相手、そして、対象の３者関係を＋、－で表し、３つの掛け合わせが＋でないと、不快になると言う。

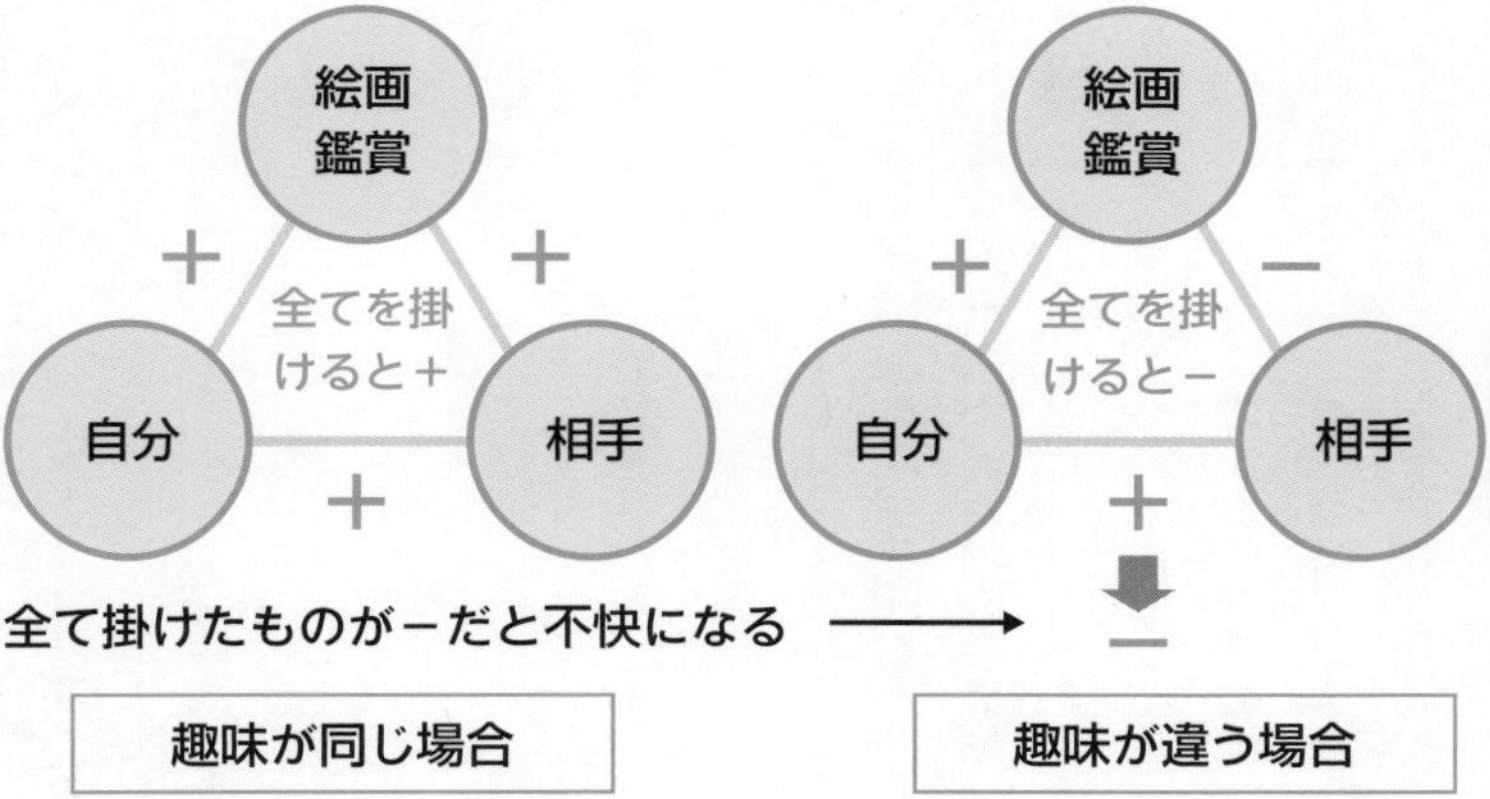
絵画鑑賞
＋
＋
全てを掛けると＋
自分
相手
＋
絵画鑑賞
＋
－
全てを掛けると－
自分
相手
＋
－
全て掛けたものが－だと不快になる
趣味が同じ場合
趣味が違う場合

共通点の多さよりも深さが大事

学生たちへのアンケートを使った実験で、趣味や嗜好を書いてもらい、それを見て、自分との類似度と類似する項目数を書いてもらった。その結果、類似する項目数が少なくても、類似度が高い方が好意度も高くなった。

見て癒やされるのはルノアールやモネかな
ちょうど今、印象派展やっているから、行ってみようか
旅行が趣味
音楽鑑賞
お酒が好き
うん、私も
共通の話題の内容が深い
恋人になりやすい
共通点の数が多くても浅い
友人どまり

合コンでは相手から見て右端に座ろう！

合コンでいい出会いにするためには、座る位置も関係していたのだ。相手から向かって右端に座る、相手と90度の位置に座るなど、心理学を利用して彼女、彼氏をゲットしよう。

合コンで、今日こそ、彼氏、彼女をゲットしようと思うなら、座る場所に気をつけた方がいいかもしれません。122頁でも触れましたが、心理学者のニスベットとウィルソンの実験では、全く同じ品質の4足のストッキングを等間隔に並べた場合、40％の人が一番右にあるものを選んだのです。**人の視線は文字を読むときのように、左から右へ移動する性質があり、最後に認識した情報を強く記憶にとどめる**「親近効果」があるのです。合コンでも、この「親近効果」を利用しない手はありません。ですから、**合コンのときは、早めに来てこの右端の席を押さえる**のがおすすめです。もしかしたら、「あの一番右にいる人が、超気になるんですけど」といったことになるかもしれません。

しかし、気になる相手といざ話せても、正面に座られて緊張してしまったとか、自分の隣の人とばかりしゃべって話に入れないなんてことはないでしょうか。これも座っている位置が悪かったのかもしれません。

会議での席順と発言を研究したアメリカの心理学者スティンザーが提唱した理論（96頁）を応用するなら、**向かい合った人同士は反論しやすく、隣に座った人は同調しやすい**ことになります。したがって意中の相手がいたら、**できるだけ正面に座らないようにしましょう**。また、隅っこの角で2人だけで話し込むような相手と90度の位置は、相談やカウンセリングのポジションで、まさに、『徹子の部屋』の位置関係です。相手の話を聞きながら仲良くなるならこの位置です。

親近効果を利用しよう

人は、左から右へと視線を動かすため、右端に座る人が最後になるため、「親近効果」によって記憶にとどまりやすい。

視線の動き
親近効果で右端がおすすめ
親近効果で右端がおすすめ
視線の動き

スティンザー効果を利用しよう

会議での席順と発言を研究したアメリカの心理学者スティンザーが提唱したスティンザー理論を応用すると、向き合った位置関係は、反対意見を言いやすく、いわば、敵対ポジション。横に座るのは、賛成意見を言いやすく、同調ポジションといえる。

敵対ポジション

同調ポジション

出会いと
アタック編

わかりやすい脈ありサイン

相手は自分のことをどう思っているのだろう。恋をした相手の気持ちを知りたくても、なかなか切り出せないとき、心理学が教えてくれるのが、言動から相手の本心を探る方法だ。

恋をすると、相手が自分のことをどう思ってるのか知りたくなります。直接、相手に確認できればこしたことはありません。もし、何とも思っていなかったら、どうしようと、なかなか切り出せないものです。では、直接尋ねなくても、相手の気持ちがわかる方法があるのでしょうか。実はあるのです。

相手が男性の場合ではあれば、簡単な日常会話をするだけですぐにわかってしまいます。たとえば、男性から「今度、飲みに行かない?」と言われるのと、「オレと、今度、飲みに行かない?」と誘われるのと、どちらが女性に対して強いアピールをしているでしょう。もちろん、一人称を入れた後者の方です。この方が、「自分」と一緒に飲みに行きたいことを主張しています。この自己アピールが自分のことをもっと知ってほしいという気持ちの表れで、女性に対する好意からくるものなのです。これは、１９９１年のアメリカの心理雑誌に発表されたある論文によっても証明されていて、**男性が、女性に対して一人称を多用してくる場合は、その女性に好意があると考えて間違いない**でしょう。

一方、**相手が女性の場合は、食事に誘ってみて食べる量を見てみましょう。**女性は、女性同士で食べるより、男性と食べる方が少食になることが実験からもわかっています。男性の目の前では「女らしい」と思われたくて、自己呈示を変え、相手に好意を抱いていればなおさら少食になると考えられます。

男性の「脈あり」サインは一人称

1991年のアメリカの心理雑誌に発表されたある論文によると、男性は、好きな女性に対して一人称を多用する傾向が認められた。

オレ、最近ヒマしてて…
オレと、今度、飲みに行かない？
オレ、いい飲み屋見つけたんだ
オレの同僚に変なやつがいてさ…
最近ヒマしてて…
今度、飲みに行かない？
いい飲み屋見つけだんだ
同僚に変なやつがいてさ…

女性は男性の前では少食に

女性は、同席者が男性の場合は、女性のときと比べ食べる量が減ることが実験からも証明されている。好きな男性の前ではより少食になると予想される。

相手が女性の場合は
満腹まで食べる

相手が男性の場合は
食べる量が減る

距離を縮め、何度も会おう！

心理学では、何度も顔を合わせるほど好感度が上がることが証明されている。できるだけ相手との物理的な距離を縮め、何度も会うことが、心理的な距離も縮めることになるのだ。

通勤電車で毎日会う異性が気になった経験はないでしょうか。実は、顔を合わせる回数が増えれば増えるほど、好感度が上がっていくものなのです。

社会心理学者のザイアンスは、面識のない12人の大学生の顔写真を0回、1回、2回、5回、10回、25回の6条件で見せ、好感度がどのように変わるか実験しました。その結果、見知らぬ大学生にもかかわらず、写真を見せるほど、好感度が上がっていったのです。

つまり、**よく顔を合わせる相手には、自然と好意を持ってしまう**のです。これを、ザイアンスは「単純接触効果」と呼びました。「ザイアンス効果」とも呼びますが、これに従えば、お目当ての人に好かれたければ、できるだけ会うことがおすすめです。

では、相手との距離はどうでしょう。「私たち遠距離恋愛でゴールインしました」といった話をよく聞きます。しかし、頻繁に会う方が、好意度が上がるのであれば、不利なはずです。実際、心理学では、「男女間の物理的な距離が近いほど、心理的な距離は狭まる」と言われています。この説を提唱したアメリカの心理学者ボッサードは、婚約中のカップル５０００組を調査したところ33％が半径5ブロック以内に住んでいたのです。さらに、２人の距離が離れているほど結婚にたどり着く確率は低かったのです。遠距離恋愛の場合は、毎日相手の写真を見たり、ネット利用で、顔を見ながら話したりすることです。でも、一番いいのは、現実の距離を縮め、頻繁に会うことです。

ザイアンスの単純接触効果

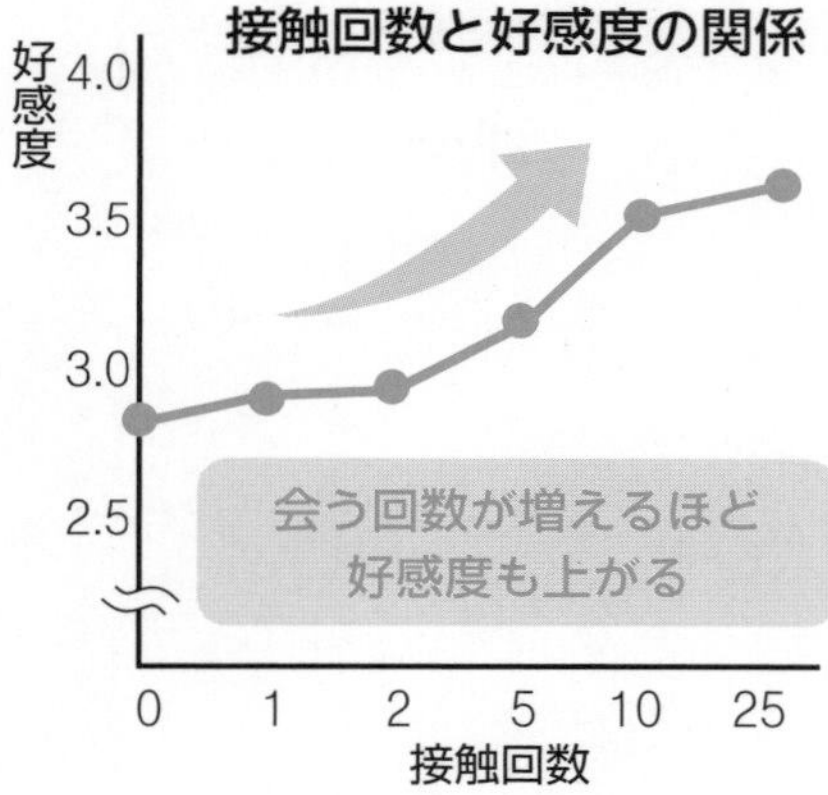
接触回数と好感度の関係
好感度
4.0
3.5
3.0
2.5
会う回数が増えるほど
好感度も上がる
0
1
2
5
10
25
接触回数

社会心理学者のザイアンスは、面識のない 12人の大学生の顔写真を0回、1回、2回、5回、10回、25回 の6条件で見せ、好感度がどのように変わるか実験しました。その結果、見知らぬ大学生にもかかわらず、写真を見せるほど、好感度が上がっていったのです。

遠距離恋愛否定のボッサードの法則

アメリカの心理学者ボッサードが発見した法則で、「男女間の物理的な距離が近いほど心理的な距離は狭まる」というもの。婚約中のカップル 5000組を調査したところ 33%が半径 5ブロック以内に住んでいた。2人の距離が離れているほど結婚にたどり着く確率は低かったと言う。

半径5ブロック
以内

出会いと
アタック編

好意をはっきり示そう！

気になっている異性の友達と、なかなか恋愛関係に発展できないのは、付き合い方が問題なのかもしれない。自分の心に正直になって、好きだという気持ちを示すことから始めよう。

異性の友達は多いのに、浮いた話ひとつない。付き合いは長いのに、友達のままで、なかなか恋人になれない。そんな悩みを持つ人も結構多いのではないでしょうか。もしかしたら、あなた自身が、恋愛モードのコミュニケーションをとっていないのかもしれません。

アメリカの社会心理学者ルービンは、友人に対する尺度（好意尺度）には、「好意的評価」「尊敬と信頼」「類似性の認知」、恋人に対する尺度（恋愛尺度）には、「親和・依存欲求」「援助傾向」「排他性」があるとしています。つまり、**好きな人に対しても、友人に対する尺度で接してしまい、恋愛に対する接し方に切り替えられない**のが、いわゆる「恋愛ベタな人」なのかもしれません。

とりあえず、恋人に発展させたい友人がいたら、自分の好意を示すことから始めましょう。なぜなら、人には、「**好意の返報性**」（42・126頁）があるからです。「好意の返報性」とは、相手から好意を示されると、自分も好意を持つ傾向で、たとえば、アメリカの心理学者アーロンは、過去8カ月以内に恋に落ちた大学生に、恋愛感情をどんなときに初めて抱いたのか聞きました。すると、「相手から好かれていることが判明したときや告白されたとき」が90％、「相手の声や容姿が自分の好みだったとき」が78％、「生理的、状況的に興奮したとき」が62％という結果だったのです。

自分の心に正直になって、**相手への気持ちを素直に伝えることが、恋愛を始める第一歩**なのです。

好意の返報性

人には、好意を示されると好意を抱く傾向がある。これが「好意の返報性」というもの。

恋愛感情を初めて抱いたときは？

アメリカの心理学者アーロンは、過去８カ月以内に恋に落ちた大学生に、恋愛感情をどんなときに初めて抱いたのか聞いた。

告白などで相手の好意が判明したとき

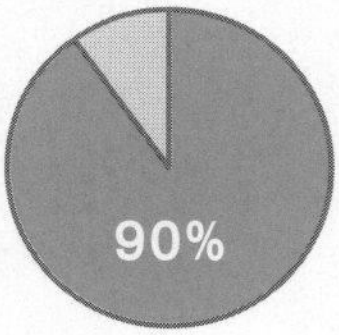

声や容姿が好みだったとき

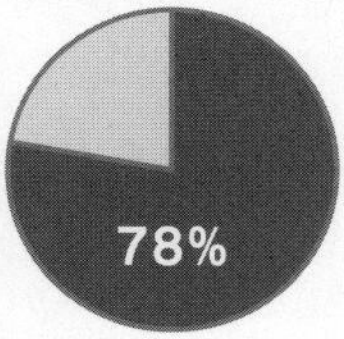

生理的、状況的に興奮したとき

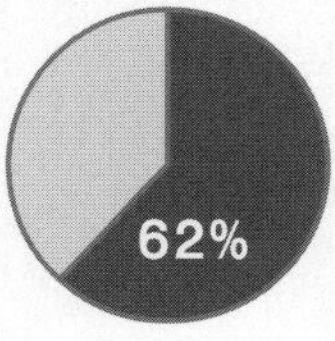

出会いとアタック編

自分の秘密を打ち明けよう！

気になっている異性と、より親密になりたい。そんなときは、「あなただけに打ち明ける」と断って、自分のプライベートを話してみよう。より関係が深まるはずだ。

気になる異性と、もっと親密になりたいときには、「自己開示」が効果的でしょう。「自己開示」とは、心理学では「自分に関する新奇でプライベートな情報を、他人に正しく、意図的に伝達する言語行動」ということになります。要は、自分の内面を人に打ち明けることには、様々な機能が認められています。

たとえば、心理療法でも行われるようにカタルシスの機能があり、ある研究者は、男性の寿命が短いのは自己開示しないせいで、ストレスが増大するからだとまで言っています。また、人に自分のことを言うことで、気持ちを整理し明確にする機能（自己明確化）や他人からのフィードバックで、自分を安定させる役割もあると言います（社会的妥当化）。

では「自己開示」するとどうして親密になれるのでしょう。いくつかの理論がありますが、1つは、**自己開示が好意だとみなされ、好意の返報性により、互いに自己開示を行い、さらに好意が深まる**のです。アルトマンとテイラーが提唱した「社会的浸透理論」では、2人の関係が親密になっていく過程が自己開示を通じてなされるとされ、親密になればなるほど、自己開示の「幅」と「深さ」も増大すると言います。

さらに、自己開示の際に「**あなたにだけ打ち明けるけど**」と言えば、マーケティングの手法として「ハード・トゥ・ゲット・テクニック」と同じ効果があると考えられます。つまり、手に入れにくいものを提供してくれたと考え、好意の返報性がより高まるのです。

「自己開示」と好意の返報性

自己開示とは、プライベートな情報を他人に打ち明けること。

打ち明けられた相手にとって、好意や信頼感の表明とみなされ、好意の返報性により、好意を抱くようになり、自分も自己開示するようになります。

ハード・トゥ・ゲット・テクニックで効果的に

「ハード・トゥ・ゲット・テクニック」とは、「手に入れにくいものをあなただけに提供」したとして、相手の好意や信頼を獲得するマーケティング手法。

自己開示の際に、「あなたにだけ打ち明けるけど…」と言えば、「ハード・トゥ・ゲット・テクニック」と同じで「手に入れにくいものを提供」してくれたと考え、好意の返報性がより高まる。

出会いとアタック編

好きな相手に頼みごとをしよう！

好きになった異性には、何かと手伝ってあげたくなるもの。好意の返報性を期待してのことだが、自分を好きになってもらうには、手伝うより、手伝わせる方がいいのだ。

気になる異性に自分のことを好きになってほしくて、いろいろと世話を焼いたり、尽くす人がいます。

これは好意の返報性を期待してのことですが、押しつけがましいと、**相手にとって「好意」ではなく、「依頼」となってしまい心理的負担を増やす**のです。

たとえば、好意から机の上を片づけようとします。しかし、やってほしくない相手にとっては、これは「好意」ではなく「机の上を片づけさせて」という「依頼」になっていて、相手にとっての心理的負担となります。つまりはウザいと思われるのです。

実は、自分の思い込みで相手に**尽くすより、尽くさせる方が、よっぽど効果がある**のです。これは「認知的不協和」を利用した恋愛テクニックといえるものです。認知とは、人や物に対する認識や理解のことで、私たちは毎日の生活の中でさまざまな認知を行っています。この認知間に矛盾や不一致が生じると不快感や緊張を引き起こすことを、フェスティンガーは「認知的不協和」と呼んだのです。人は、その状況をなんとか解消しようとして様々な方法をとるのです。

好きな相手に、頼みごとをどんどんするとします。すると、「好きでもないのに、人は助けない」とする認知と、「今、人を助けている自分」という認知が矛盾し、これを解消するために、「**自分が助けているのは、相手が好きだからだ**」と思ってしまうのです。ですから、気になる相手に、自分を好きになってもらうには、どんどんお願いごとをして手伝わせましょう。

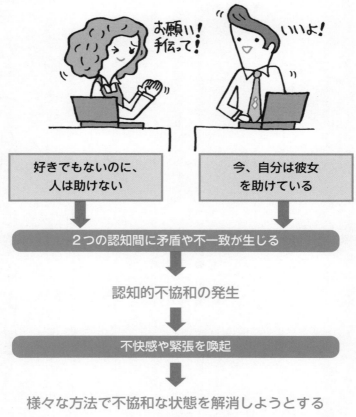

「認知的不協和」で好きにさせる方法

気になるあの人に自分を好きになってもらうには、どんどんお願いごとをして手伝わせよう。

好きでもないのに、人は助けない

今、自分は彼女を助けている

2つの認知間に矛盾や不一致が生じる

認知的不協和の発生

不快感や緊張を喚起

様々な方法で不協和な状態を解消しようとする

彼女が好きだから、手伝っているのだと認知を修正する

相手が気づかない点をほめよう！

相手に気に入られたいなら、ほめ上手になろう。その際に、自分では気づかないが、他人には見えている「盲点の窓」をほめると、意外性を感じて好感度が上がるはずだ。

あるとき、他人から思ってもいなかった自分の性格をほめられて嬉しくなった経験はないでしょうか。

アメリカの心理学者ジョセフ・ルフトとハリー・インガムは、自分を他人にどのように見せているか（自己開示）で、対人関係のモデルを提案しています。これが、2人のファーストネームのジョセフとハリーをとって、「ジョハリの窓」（左図）と呼ばれるものです。2人は、自己像について、自分と他人で、それぞれ「知っているか」「知らないか」によって分け、4つの自己像を浮かび上がらせたのです。まず、「開放の窓」は自分も他人も知っている表の部分です。これに対し、「秘密の窓」に映っているのは、自分は知っていても他人は知らない裏の自分のことです。

逆に、他人には知られていても自分は気づいていない部分が「盲点の窓」で、「未知の窓」には、他人も自分も気づいていない部分が映っているとしました。

人をほめるのが下手な人は、「開放の窓」ばかりほめているのです。この窓は、自分も他人も知っている部分だから、ほめられてもそんなに嬉しくありません。たとえば、マリリン・モンローに「セクシーですね」と言ったら、耳にタコで平凡でつまらない人にしか思われないでしょう。一方、「秘密の窓」や「未知の窓」は、カウンセラーにでもならなければ指摘することは難しいでしょう。つまり、**自分では気づかない「盲点の窓」をほめる**のです。そうすれば、意外性を感じて、この人は特別な人なんだと思ってしまうのです。

ジョハリの窓：自分を気づかせる4つの窓

アメリカの心理学者ジョセフ・ルフトとハリー・インガムが提案した4つの自己像。自分と他人が知る、知らないで4つの窓に映る自己像を考えることを提唱している。

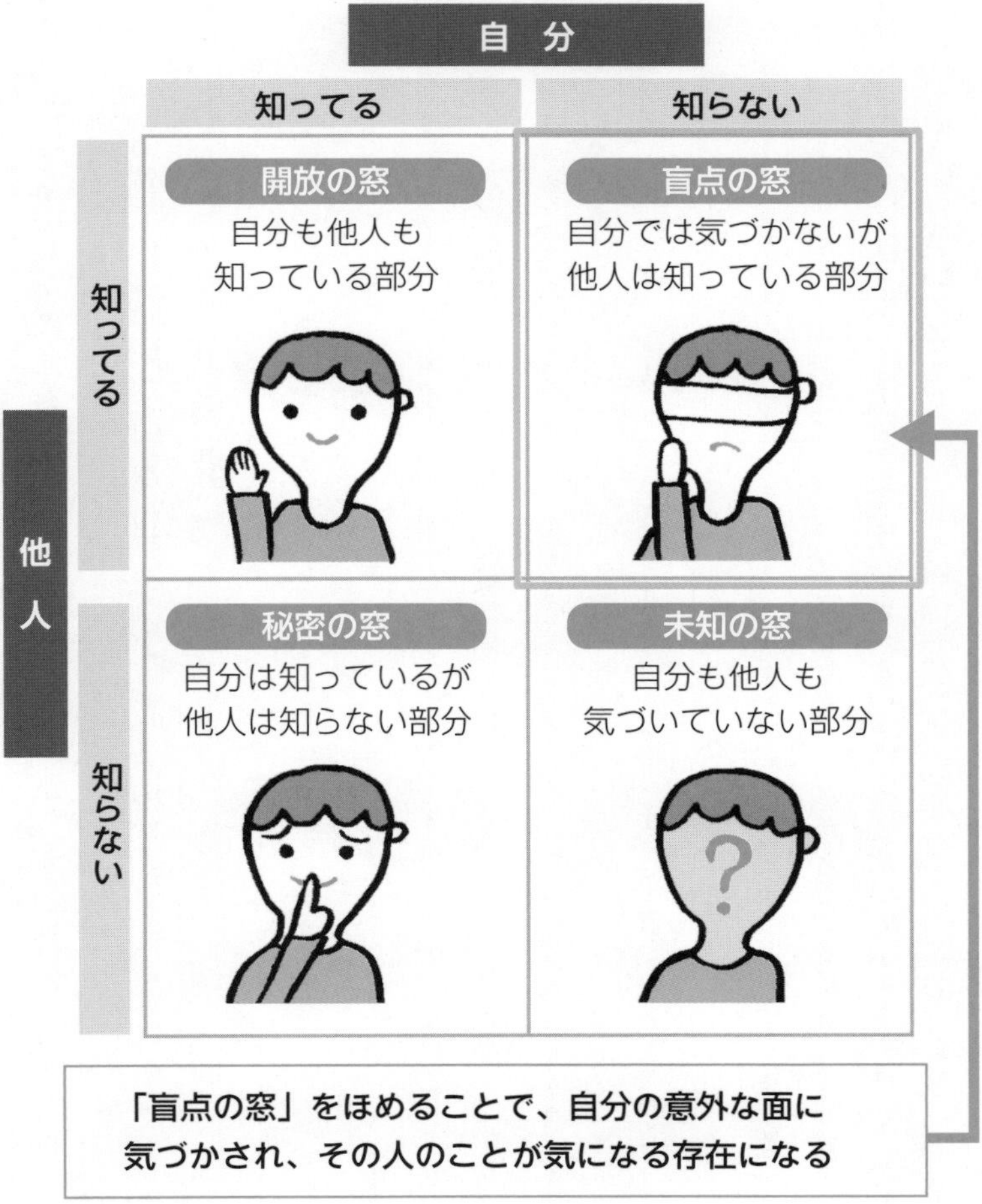
自分
知ってる
知らない
他人
知ってる
知らない
開放の窓
自分も他人も知っている部分
盲点の窓
自分では気づかないが他人は知っている部分
秘密の窓
自分は知っているが他人は知らない部分
未知の窓
自分も他人も気づいていない部分
?
「盲点の窓」をほめることで、自分の意外な面に気づかされ、その人のことが気になる存在になる

出会いと
アタック編

相手が落ち込んだときがチャンス!?

人はバリバリ働いているときは自信があり、自己評価が高く、相対的に他者は低くなる。したがって、相手が仕事で失敗したなど落ち込んでいるときが、告白のチャンスだ。

人生には、大変な時期があるものです。親しい人の不幸や、仕事での失敗、事故や災害などに遭うと心細く、不安になるものです。もし、気になる異性がそんな状況になっていたら、手を差し伸べて、告白するチャンスかもしれません。

人は、不安になったり、落ち込んだりすると、親しい人にそばにいてほしいと思うものなのです。これが「**親和欲求**」と言うもので、安心できる人と一緒にいることで、不安を和らげたいと考える欲求です。大停電の9カ月後にベビーブームが起きたとか、震災後に結婚を決意する人が増えるといった話がありますが、まさに、この「親和欲求」によるものだといえるでしょう。

これは、「**自尊理論**」からも説明することができます。たとえば、バリバリ仕事をこなすキャリア・ウーマンの彼女がいたとします。自分の手がけた仕事が好調で、周りの評価も高いと、自己評価が高く、相対的に相手の評価が下がってしまいます。ところが、自信のあった仕事で、大きな失敗をして、落ち込んでしまったとします。すると、自己評価が下がり、相手の評価が、相対的に高くなるのです。

つまり、**相手が落ち込んでいるときに、手を差し伸べ、好意を寄せると、相手が魅力的に見えて、好きになる可能性が高い**といえます。ちょっと卑怯かもしれませんが、心理学的には、異性が落ち込んでいるときが、告白のチャンスなのです。

つらいときに高まる「親和欲求」

人は、不安になったり、落ち込んだりすると、親しい人にそばにいてほしいと思う「親和欲求」が働く。

大停電の後のベビーブームや震災後に結婚を決意する人が増えるのもこの「親和欲求」によると考えられる。

「自尊理論」が導く恋愛テクニック

仕事が好調な場合

バリバリ仕事をしている

↓

自己評価が高くなる

↓

相対的に相手の魅力が下がる

失敗で落ち込んだ場合

仕事で大失敗をした

↓

自己評価が低くなる

↓

相対的に相手の魅力が上がる

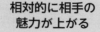

友人からの後押しが効果的

気になる人の前で、周囲にあなたの長所をほめてもらおう。そうすれば、周囲の同調圧力によって、あなたのことを魅力的に感じるようになるはずだ。

洋服を買うときでも、友人からステキと言ってもらったことで、買う気になったことはないでしょうか。自分では何とも思っていなかった服でも、友人や店員から似合っていると言われると、その気になってしまうものです。

　このように、周囲の意見に合わせた行動をとることを**「同調行動」**（106頁）と言い、ソロモン・アッシュの実験などで、わざとサクラに間違った答えを言わせると、周囲の意見が同調圧力となって、正解率が下がることが知られています。

　これを恋愛に生かさない手はありません。合コンや飲み会などで、気になっている異性が出席する場合、あらかじめ、**友人たちに「今日のところは自分をほめて」とお願いしておく**のです。そして、相手の前で、みんなで自分をほめてもらうのです。すると、その人は、周りに同調して、あなたのことを魅力的に感じるようになるはずです。

　その際に、２つのポイントがあります。１つは、３人以上でほめると効果が高くなります。また、反対意見が１人でもいると効果が大きく下がるので、全員の意見を事前に一致させておく必要があるでしょう。

　しかし、自分の価値観に自信がある人には、効果は薄いかもしれません。それでも、自分から自分の長所を表明することは、なかなか難しいですから、そうした長所があることを、間接的にわかってもらえるだけでも、この作戦は効果的だと思います。

「同調理論」が導く恋愛テクニック

周囲の意見に合わせた行動をとる「同調行動」は、人数が多く、社会的圧力（同調圧力）が高いと取りやすい。

同調行動を生む要因

情報的影響
他者からの情報は有用

模範的影響
周囲から嫌われたくない

↓

同調

↓

恋愛テクニックに応用！

意中の人の前でみんなからほめてもらおう

3人以上で効果大

1人の反対で効果減

自分の価値観に自信のある人には効果が薄い

出会いとアタック編

告白はドキドキの最中に

友人関係の異性と恋愛関係に発展させたいなら吊り橋効果が有効だ。遊園地の恐怖体験やスポーツでのドキドキを、自分に対する恋愛感情だと勘違いしてしまうのだ。

好きで好きでたまらない相手といると、始終ドキドキするものです。好きという情動が、生理的な興奮状態を作り出しているのです。いわば、好きだからドキドキするわけですが、心理学の情動の発生説では、逆にドキドキするから好きだとする説があり、現在では、両方ありだと考えられています（情動の二要因説）。つまり、ドキドキさせれば一緒にいる相手のためだと勘違いして恋に落ちる可能性があるのです。これがいわゆる「吊り橋理論」と言われるものです。

カナダの心理学者ダットンとアロンは、18歳から35歳までの独身男性を集め、渓谷に架かる高さ70ｍの歩くと揺れる「キャピラノ吊り橋」と、その上流に架かる高さ３ｍの頑丈で揺れない木造の橋の2カ所で実験を行いました。両方の橋の中央で同じ魅力的で若い女性が突然アンケートを求め、「結果が知りたければ後日電話をください」と電話番号を教えたのです。その結果、揺れる吊り橋での被験者は約半数が後日電話をしてきましたが、揺れない方はたったの12％でした。

これはまさに、高くて揺れる吊り橋に恐怖を感じた男性たちが、その恐怖からくるドキドキを女性に対する感情だと勘違いしてしまったわけです。

つまり、友達関係の異性と恋愛に発展させたいなら、**スポーツなどを一緒にやって心拍数を上げたり、デートで、遊園地に行っておばけ屋敷やジェットコースターで恐怖を体験するのが効果的**でしょう。そのドキドキがあなたへの恋愛感情だと思ってしまうのです。

「吊り橋理論」が導く恋愛テクニック

細くて揺れる吊り橋と丈夫な吊り橋の真ん中で若い女性が男性たちに声をかけ、アンケートに答えてもらい、その結果を知りたければ連絡してと電話番号を教える。

高さ70m、幅1.5m、手すりが低くて揺れる吊り橋

実験に協力してね。
結果が知りたければ
電話してね。
後日……
約半数が電話

高さ3m、幅も広く丈夫な吊り橋

実験に協力してね。
結果が知りたければ
電話してね。
後日……
12%が電話

高くて揺れる吊り橋に強い恐怖を感じた男性たちは、その恐怖からくる興奮を女性に対する感情だと勘違いしてしまったのだ。

恋愛テクニックとしての吊り橋効果

遊園地やスポーツでドキドキさせることで、相手に自分への恋愛感情だと思わせてしまう効果。

Column 6

合コンの反省会は1人で

合コンの後で、女同士、ワイワイガヤガヤ、反省会をしないでしょうか。「あなたの前に座ってた子、どうよ？」「ファッション、ダサすぎ」「あの服はないわよね」「そういえば顔もちょっと…」なんて、みんなで話していると、少し気になっていた男の子も、最低評価になってしまいます。もちろん、その逆もあって、大したことはないのに、誰かが、強くすすめると、「確かにいいよね！」なんてことになるのです。

これは、会話のやりとりによって、記憶自体が影響をうけて、間違った記憶（フォールス・メモリー）が作られるからです。

車同士の衝突事故の映像を2グループの被験者に見せ、それぞれに衝突した際の時速をあててもらう実験があります。一方のグループには、「車が衝突したときの時速は？」と聞き、もう一方のグループには、「車が激突したときの時速は？」と聞いたのです。すると、前者は、「60キロぐらいだった」と答えたのに対して、後者は、「120キロくらい」と答えたのです。全く同じ映像の記憶が、質問の仕方を変えるだけで、全く違ってしまったのです。

別の実験では、ある家族の一日の映像を見てもらい、家族に関して様々な質問の中に、「飼っていた犬の大きさは？」という質問を入れておきました。実は犬は飼っていないのに、かなり多くの人が、犬がいたかのように、質問に答えたのです。

つまり、複数の人が会話をしながら合コンの話をすると、どんどん間違った記憶になってしまうのです。合コンの反省会は絶対1人でやるのがおすすめです。

Chapter

6

恋愛で使える心理学

〔交際編〕

交際編

互いに名前やニックネームで呼び合おう！

交際を長続きさせたいなら、会話を見直してみよう。別れるカップルは、相手を名前やニックネームで呼び合わず、自己開示の領域も狭いことが多い。

恋人と長続きするかどうかは、その会話を聞けばある程度わかります。**大事なのは会話の量**で、デート中、スマホばかりで会話がなくなると要注意です。

「社会的浸透理論」では、個人のパーソナリティは、欲求などの中心部から、言語的行動などの周辺部へと同心円状に構成されるとされ、恋愛関係の進展は、パーソナリティの周辺から中心へと互いが浸透していく過程だと言います。その過程が「自己開示」（148頁）を通じて行われると言うのですが、自己開示とは、互いの内面を打ち明ける言語的コミュニケーションで、つまりは会話に他なりません。実際、崩壊寸前の夫婦60組に対して親密感や自己開示傾向を調査した結果では、親密感が薄れるにつれ、自己開示の領域が狭くなる傾向が報告されています。

ほかにも長続きしないと思われるカップルの会話には特徴があります。それは、相手のことを、名前で呼ばないことです。カリフォルニア大学のチャールズ・キング博士によると、55組のカップルの中で、互いに相手の名前を呼び合わないカップルは、なんと、その86％が調査から5カ月以内で別れていたのです。

名前で呼びかける方が、自分が一個の人格として認められたようで嬉しいものです。さらに名字より名前、あるいはニックネームで呼び合う方がより親密な関係であるといえるでしょう。相手の名を呼ぶことは親しさを示すことで、**恋愛関係では互いの名前やニックネームで呼び合うことが長続きのコツ**なのです。

人の呼び方でわかる距離感

名前で呼びかけられる方が、自分が一個の人格として認めらたようで嬉しいもの。さらに名字より名前、あるいはニックネームで呼び合う方がより親密な関係で近い関係だといえる。

○○さん
○○さん
○○ちゃん

○○ちゃん
△△くん！

別れるカップルの傾向

なあ
なに？

カリフォルニア大学のチャールズ・キング博士によると、55組のカップルで、互いに相手の名前を呼び合わないカップルのうち、なんと、86％が調査から5カ月以内に別れていた。

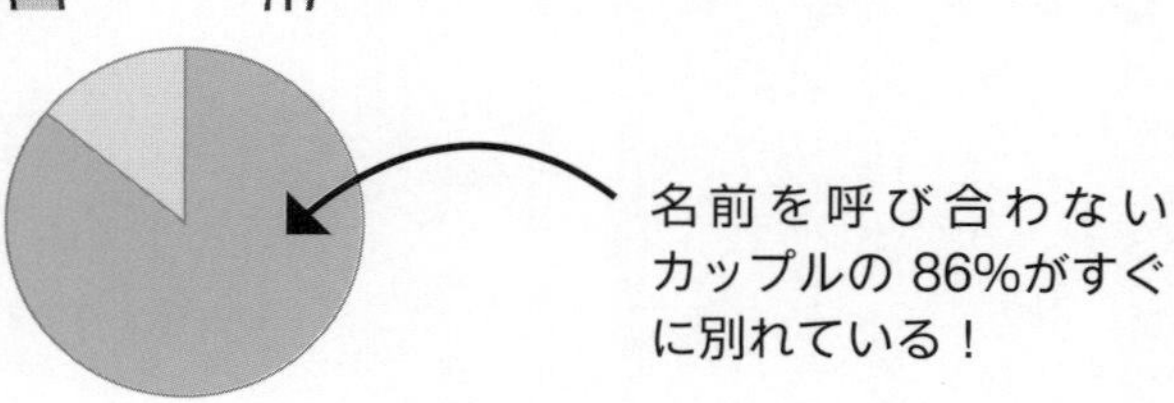
名前を呼び合わないカップルの86％がすぐに別れている！

恋愛を長続きさせる愛の三角形理論

恋愛のドキドキ感がなくなると、恋が冷めたと思って次の恋を求める人たちがいる。しかし、長く続く愛は、そうしたもの。「愛の三角形理論」を知って、恋愛を長続きさせよう。

最初はあんなに情熱的だったのに、今では何だか物足りない。だから、ドキドキした恋を求めて浮気をしてしまう。そんな恋多き人たちを見かけます。

心理学者スタンバーグは、恋愛には、「親密性」「情熱」「コミットメント」の3つの要素があると主張しました。**「親密性」とはお互いのいとおしさや親しみの深さを表す感情的要素**のことです。一方、**「情熱」とは、互いを夢中にする身体的、性的つながりへの欲求の強さ**で、恋愛関係に発展する動機的要素です。また、**「コミットメント」はお互いにどれくらい関わり合い、離れられない存在であるかという意識**を表す認知的要素です。これらの3つの要素が強いか弱いかによって、8つの愛情のタイプを構成したものが、**「愛の三角形理論」**です（左図）。3つとも強いと「完璧愛タイプ」、親密性は強いが、情熱、コミットメントは弱いと「好意愛タイプ」、情熱だけが強いと「夢中愛タイプ」、情熱と親密性は弱いのにコミットメントだけが強いと「虚愛タイプ」、親密性と情熱は強いが、コミットメントが弱いと「情愛タイプ」、親密性とコミットメントは強いが、情熱が弱いと「友愛タイプ」、情熱とコミットメントは強いが、親密性は弱い「愚愛タイプ」、全て弱いと「非愛タイプ」です。

恋愛を長続きさせるには、この三角形が一致する必要がありますが、時がたつと、この関係性も変化します。長く続く恋人や夫婦の関係では、ドキドキ感が少なくなりますが、それは関係が安定した証拠です。

スタンバーグの「愛の三角形理論」

心理学者スタンバーグは恋愛は親密性、情熱、コミットメントの3つで構成されているとして、「愛の三角形理論」を提唱。それぞれの強弱の組み合わせから、愛のタイプを８つに分類している。

愛の三角形

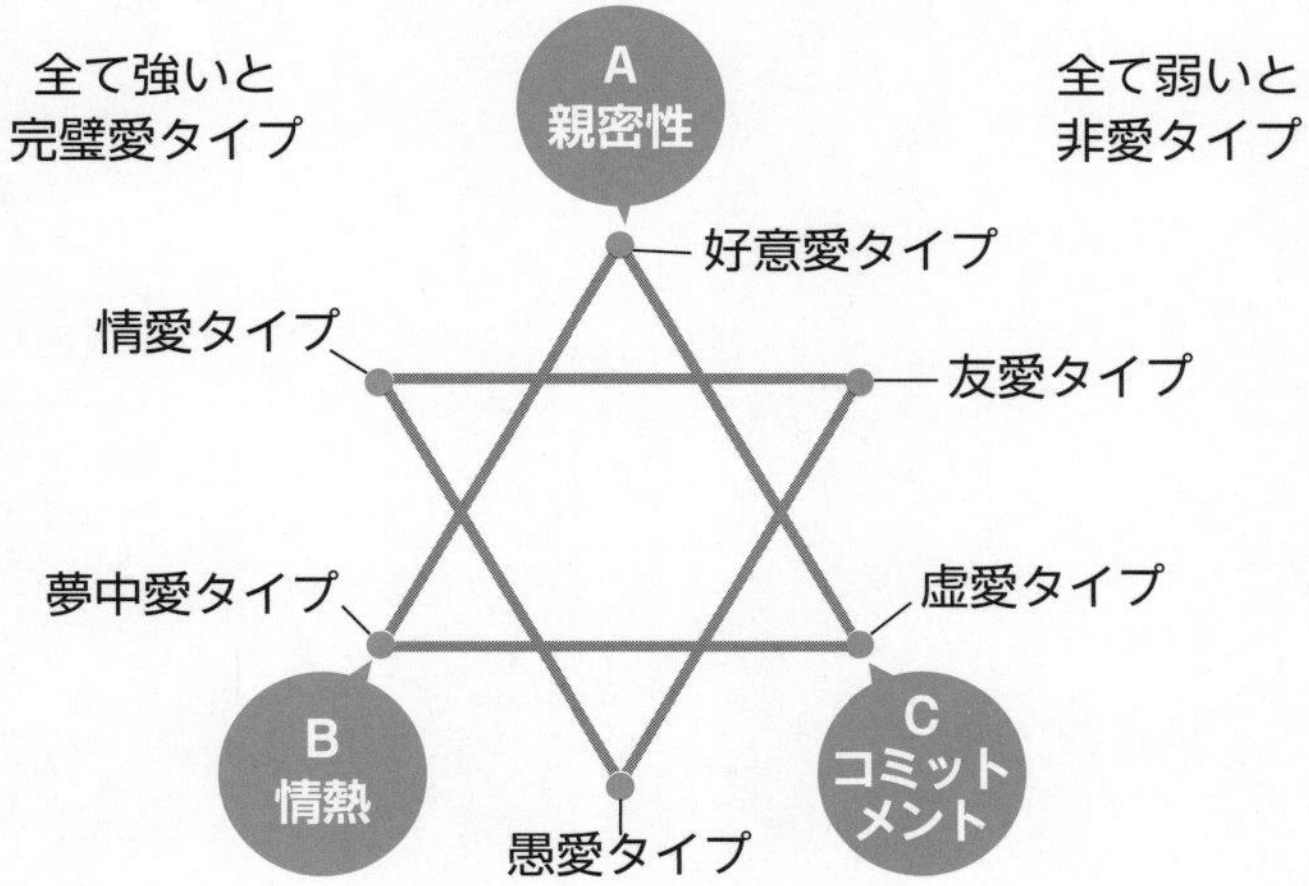

８つの愛のタイプ

完璧愛タイプ	＝親密性、情熱、コミットメントの全てが強い
好意愛タイプ	＝親密性は強いが、情熱、コミットメントは弱い
夢中愛タイプ	＝情熱は強いが、親密性、コミットメントは弱い
虚愛タイプ	＝コミットメントは強いが、情熱と親密性は弱い
情愛タイプ	＝親密性と情熱は強いが、コミットメントが弱い
友愛タイプ	＝親密性とコミットメントは強いが、情熱は弱い
愚愛タイプ	＝情熱とコミットメントは強いが、親密性は弱い
非愛タイプ	＝ 親密性、情熱、コミットメントの全てが弱い

好きなのに、いつもケンカになるのは？

近づきすぎるとケンカになり、離れると寂しくなる。ヤマアラシのジレンマというもので、良好な関係のためには、男女の違いをよく理解して、程よい距離感を保つことが大事だ。

好きなはずなのに、一緒にいるといつもケンカをしてしまう。「ケンカするほど、仲がいい」というように、まさに、仲よくなって距離が縮まると、相手に気を使わなくなり、ぶつかってしまうのです。

心理学者のレオポルド・ベラックは、これを「**ヤマアラシのジレンマ**」と名づけました。ドイツの哲学者ショーペンハウエルの寓話《ぐうわ》からとられたもので、寒い日に2匹のヤマアラシが体をくっつけて温まろうとします。しかし、お互いのトゲが相手を傷つけてしまう。そうかといって、離れていては寒い。つまり、近づきすぎるとケンカになるし、離れると寂しい。このジレンマに悩みながら、**ちょうど良い距離感を探っていかなければならない**ということなのです。

そもそも、男女には脳の違いがあり、**悩みがあると女性は、会話でストレスを解消しようとしますが、男性は、1人になって問題を整理したいと考えます。**女性がおしゃべりが好きなのはこのためで、相手に愚痴を聞いてもらって、共感してもらいたいのです。このとき、「その気持ちわかるよ」「君は間違っていない」といった慰めの言葉が一番なのですが、男性は会話に合理性や目的を求めるため、愚痴を聞いて共感することが苦手なのです。逆に、男性が1人で悩んでいると、女性は「何があったの」「私にも教えてよ」と共感型の対応をして、ウザがられるのです。

こうした**男女の違いをふまえて、程よい距離感を保つ**ことが2人の関係が長続きする秘訣《ひけつ》なのです。

ヤマアラシのジレンマ

ドイツの哲学者ショーペンハウエルの寓話からとられたもの。２匹のヤマアラシが寒さで温まろうと体を寄せると、互いのトゲが相手を傷つける。離れていては寒い。つまり、近づきすぎるとケンカになるし、離れると寂しいというジレンマ。

仲よくなって、距離が縮まり、気を使わなくなると、ぶつかる

程よい距離をお互いに探ることが必要

男女差からくるいさかい

男性は、悩みがあると１人になりたがり、女性はおしゃべりしてストレスを解消しようとする。また、会話に共感を求める女性と合理性を求める男性の違いでケンカになりやすい。

交際編

口ゲンカはぐっとこらえて一晩寝かす

ささいなケンカも、エスカレートすれば、破局につながります。特に口ゲンカの際のやりとりは、思ってもいなかった言葉が飛び出すもの。心理学では言語的隠ぺいと呼ばれるものだ。

カッとなって、口論が始まり、勢いに任せて、言いたいことを言ったはずなのに、あとから考えると「何であんなこと言っちゃったんだろう」と首をかしげたくなることはないでしょうか。ケンカとは、まさにネガティブ・コミュニケーションで、自分ではささいな行き違いだと思っていても、ネガティブ・コミュニケーションが、どんどんエスカレートしていけば、結局は破局へと突き進むだけなのです。

　怒りや悲しみに任せて出てきた言葉は、自分の本心とはほどんと無関係なことが多いものです。実は、**自分の感情をすぐに言語化してしまうと、かえって、理解が浅くなり、心の深いところにある真の感情がわからなくなる**のです。

これが、心理学で言う「言語的隠ぺい」と言われるもので、心に浮かんだ感情や感想を、すぐに言葉にしてしまうと、表層的な理解にとどまって、本当の認識には至らないのです。

　まして、ケンカの最中でなくても、自分の感情を精緻に言語化することができないのに、興奮して見境がなくなっているときに、自分の気持ちを正確に言語化できるはずがないのです。怒りや悲しみで混乱すると、人は、全く心にないことでも、勢いで言ってしまうものなのです。しかし、この言語的隠ぺいが起こるのは、一時的です。一晩たてば、すっかり冷静になり、客観的に自己を見直すこともできるはずです。**ケンカのときはぐっとこらえて一晩寝かす**のがおすすめなのです。

ネガティブ・コミュニケーションとしてのケンカ

ケンカとは、ネガティブ・コミュニケーションで、自分ではささいな行き違いだと思っていても、エスカレートしていけば、破局へとつながる。

口ゲンカは言語的隠ぺい

感情や思い

↓

すぐに言葉にする　←　言語的隠ぺい

↓

本心ではない場合が多い

ケンカのときは言葉に出さないで、一晩寝かす

交際編

上手なケンカの仕方

ほんのささいなケンカが原因で別れにつながることもある。ストレス対処のコーピング理論を応用することで、ヒートアップするケンカをうまく収める方法を学ぼう。

カッとなって口論が始まり、勢いに任せて言いたい放題、お互いに傷つけあって、その暴言が、また新たな火種になるなんてこと、ないでしょうか。どんなカップルにもケンカは付きものです。ですから、上手なケンカの仕方を身につけておけば、安心です。

そこで活用したいのが「コーピング理論」です。コーピングとは、問題に対処するといった意味で、ストレスに対する反応を抑えたり、低減したりするストレス対処行動のことです。ケンカ自体も1つのストレス反応と考えられ、相手からの誹謗《ひぼう》中傷が、新たなストレス反応を引き起こします。そのため、ストレス対処のコーピング理論が、深刻なケンカへとエスカレートさせないためにも極めて有効なのです。

たとえば、直接問題解決のために正面から取り組んだり、人に相談して**ストレッサーを特定し取り除こうとする**「問題焦点型コーピング」と、ストレスを低減させることを目的に、**見方を変えたり、気晴らしをしたりして、問題との距離をとり、不快な感情を緩和させる**「情動焦点型コーピング」の2つがあります。

ケンカになりそうなときは、まずその原因を冷静に探り、問題解決を試みるといいでしょう。しかし、すでにヒートアップして口論になってしまうとそうもいきません。心を落ち着かせるためにコーヒーを飲んだりトイレに入ったりしてワンクッションはさんだり、とりあえず問題を先送りして、日を改めて話し合いをするといいでしょう。

コーピング理論でケンカに対処

コーピングとは、ストレスへの対処のことで、問題が起きて２人の間でケンカとなった場合も、コーピング理論が利用できる。

①問題焦点型コーピング

直接問題解決のためにストレッサーを特定し取り除こうとする

積極的に問題解決： 問題解決に正面から取り組み、問題の原因を明らかにして、ストレスになるものを取り除く

支援を要請：
信頼できる人を探し相談する

②情動焦点型コーピング

直接問題解決に動くのではなく、不快な感情を軽減緩和する

見方を変える： 問題に対して、見方や発想を変え、新しい適応の方法を探す

気晴らしをする： 心を落ち着かせるため趣味や旅行でリフレッシュ

問題を先送りする： とりあえず、問題から目をそらし、先送りする

あきらめる： しょうがないことなのだと、あきらめ、受け入れる

交際編

どうして浮気をするのか?

浮気がやめられない男性や不倫に走る女性がいる。人はなぜ、2人の関係を崩壊させる危険な浮気をするのか。その理由がわかれば、対策をすることも可能だ。

恋人や夫婦が別れる決定的な原因となるのが浮気です。では、人はどうして浮気をするのでしょう。

それには、生物学的な遺伝子を残す戦略が関係しているとする説もあります。つまり、男性は、自分の遺伝子を残すために、不特定多数の女性とセックスをしたがり、一方、女性の場合は、不特定多数の男性とセックスしたからといって自分の遺伝子を残すチャンスが広がるわけでないので、できるだけ優秀な相手を選ぼうとするのです。つまり、女性が浮気をするのは、パートナーより優れた遺伝子を手に入れられる可能性がある場合になります。

こうした、進化心理学的な傾向以外にも、個々の浮気に関しては様々な理由が考えられます。たとえば、マンネリ化して楽しめない、自分のことを大切に扱わない、浮気相手が優しかったなどです。こうした理由の多くが「不足原則」と「自己拡大」に関連しているといえるでしょう。

「**不足原則**」と言うのは、パートナーが優しくない、セックスに応じない、新鮮味がないなど、**2人の関係で満たされないものを、浮気相手に求める傾向**です。一方、「**自己拡大**」とは、**浮気相手が、自分の知らなかった側面を評価してくれたり、いつもとは違う体験をさせてくれたりする**ことです。

そこで、浮気対策としては、自分に不足している点を補い、相手の良いところを見つけたり、新鮮な体験をしたりすることが大事だといえるでしょう。

不足原則と自己拡大による浮気

浮気の原因は、様々だが、その多くが、「不足原則」と「自己拡大」に関係していると考えられる。

不足原則

パートナーが優しくない、セックスに応じない、新鮮味がないなど、2人の関係で満たされないものを、浮気相手に求める傾向。

自己拡大

浮気相手が、自分の知らなかった側面を評価してくれたり、普段とは違う体験をさせてくれたり、新しい自己発見につながる。

浮気への対処

- 自分に不足している点を補う
- 性的な満足を与える
- 相手の良いところを見つけてほめる
- 新鮮な体験をする

交際編

男女で違う浮気の受け止め方

女性は、男性の精神的な浮気を嫌い、男性は女性の肉体的な浮気を嫌う。男女で浮気の受け止め方が違うのであれば、浮気がバレたときの対処法も違うはずだ。

浮気性の夫に怒った妻が、見せしめに自分も不倫したら離婚されたという話を聞いことはないでしょうか。実は、浮気に対する受け止め方は、男女で全く違っているのです。

ワシントン大学のR・ラーソン博士は、次のどちらのシチュエーションに動揺するのか調査しました。

A：あなたの恋人が、別の人に強く惹《ひ》かれ、お互いに信頼して秘密を共有していることを知ったとき

B：あなたの恋人が、別の人と情熱的なセックスをし、様々な体位を楽しんでいると知ったとき

すると、大多数の男性はBを、女性はAを選択したのです。つまり、男性は女性の肉体的な裏切りに、女性は男性の精神的な裏切りに動揺したのです。

これは男性が、生まれた子どもが自分の子どもだと確信を持てないことからきているのかもしれません。アメリカでは「ママのベイビー、パパのメイビー」と言うように、妻が一度でも過ちを犯せば、他人の子どもを育てる可能性があるため、男性は女性の肉体的な浮気に厳しくなります。一方、女性は、相手が浮気をしても、自分の子どもは100％自分の子どもだと確信できます。しかし、男性が浮気相手に心を奪われると、生活に支障が出る可能性があるため、「精神的に愛してしまうこと」は許せないのです。

したがって、**浮気がバレても、男性の場合は本気でなければ、女性の場合は肉体関係がなければ、相手が許してくれる可能性がある**とも言えるのです。

男女で違う浮気への対応

ワシントン大学のR・ラーソン博士は次のどちらのシチュエーションに動揺するかを調査。

A：あなたの恋人が、別の人に強く惹かれ、お互いに信頼して秘密を共有していることを知ったとき

↓

女性は精神的裏切り行為に動揺

B：あなたの恋人が、別の人と情熱的なセックスをし、様々な体位を楽しんでいると知ったとき

↓

男性は肉体的裏切り行為に動揺

↓

浮気がバレても、男性の場合は本気でなければ、女性の場合は肉体関係がなければOKかも。

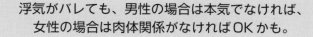

交際編

絶対に言ってはいけない地雷ポイント

男性の前で、男友達など、大切にしているものの悪口は控えた方がいい。「認知的バランス理論」によると、彼の友人の悪口を言った瞬間、あなたとの関係も悪くなるのだ。

いくら仲の良いカップルでも、彼に言ってはいけないことがあります。それは、彼の男友達の悪口です。男性は、これまでずっと交流がある男友達に対して、彼女が、「あなたのあの友達、何だかキモくない」とか「どうして、あんな人と付き合ってるの」なんてダメ出しをすると、「詳しく知らないお前が、何でそんなこと言うんだ」となって最悪、ケンカになるはずです。

138頁でも紹介しましたが、アメリカの心理学者フリッツ・ハイダーが提唱した「認知的バランス理論」では、対象の3者関係を左の図のように、+、−で表し、この3つの掛け合わせが+でないと、不快になり、どうにかプラスになるようにしようとします。

男性にとっての大切な友人をけなすと、全体で−となって、もう1つ−がなければ3つを掛けて+にはなりません。これを解消するために、あなたとの関係を−にすることになるかもしれないのです。つまり、**彼の男友達のことを悪く言った瞬間、あなたと彼との関係も悪くなる可能性がある**ということです。

これは、男友達だけに限ったことではありません。彼が長年大切にしている趣味やコレクション、人によっては、仲の良い妹や姪《めい》などの親族、心から敬愛している人物やアイドルなどもこうした地雷ポイントになる場合があります。相手の地雷ポイントを見極めて、軽々しく彼の前で、その悪口を言わないように注意した方がいいでしょう。

「認知的バランス理論」で地雷ポイントを回避

アメリカの心理学者フリッツ・ハイダーが提唱した「認知的バランス理論」では、対象の3者関係を＋、－で表し、3つの掛け合わせが＋でないと、不快になると言う。男性にとっての大切な友人や趣味をけなすと、全体で－となって、これを解消するために、あなたとの関係を－にすることになる。

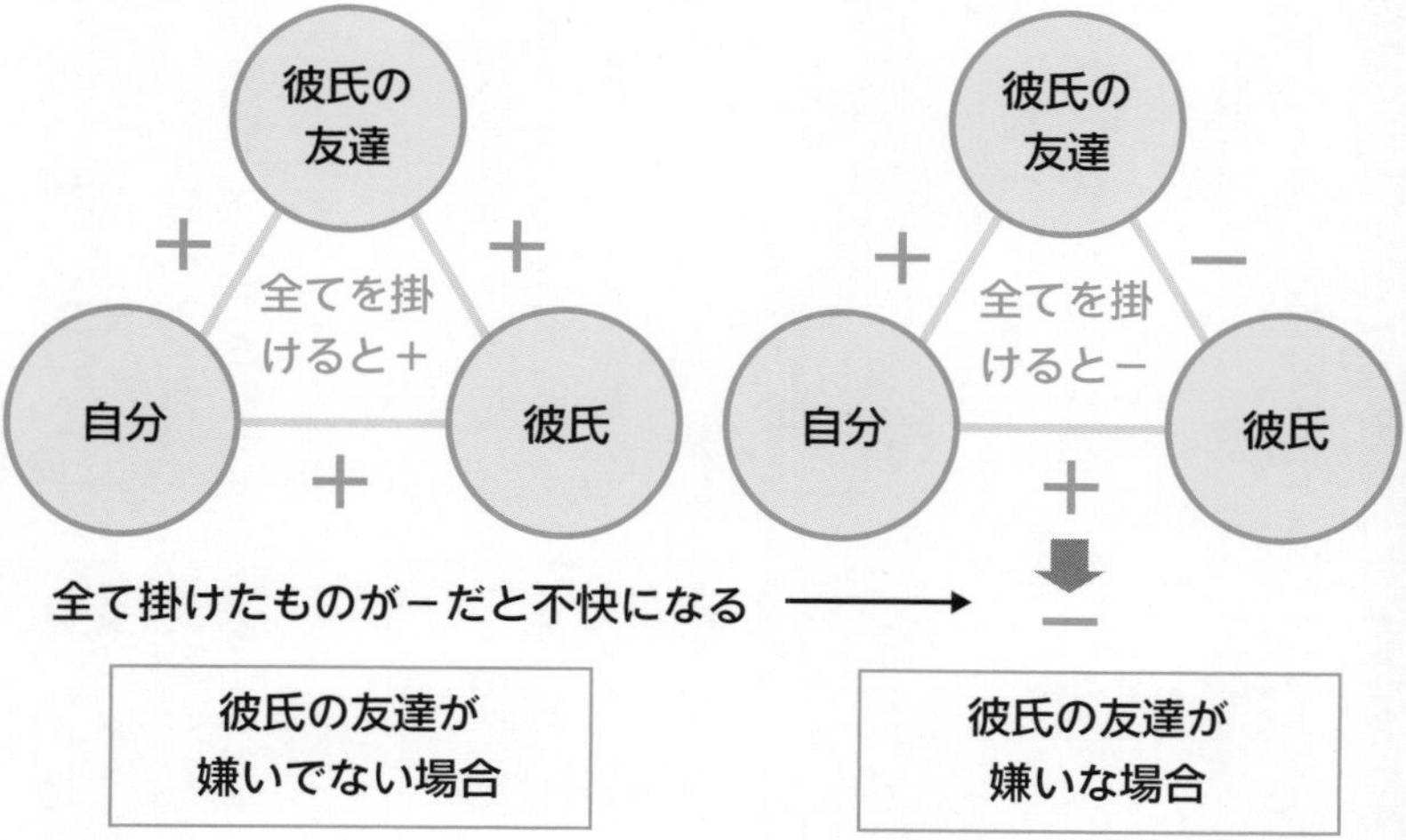

男性の友人や大切なものを批判しない

交際編

関係を長続きさせる方法

夫婦関係や恋愛関係を長続きさせる方法はあるのだろうか。まずは、相手の立場に立って物事を考えることが大事で、相手の行動に対して否定的に考えるのをやめるべきである。

最初は愛し合って一緒になったのに、別れてしまうカップルがなんと多いことでしょう。関係を長続きさせるには、どうすればいいのでしょうか。

アメリカの心理学者のマリアガーは、約２００組のカップルを対象に行った調査で、どんな人が、最も恋愛が長続きするかを調べました。その結果、相手の立場を理解して、その立場に立って物事を考えられる力がある人ほど、関係が長続きすることがわかったのです。たしかに、ケンカの際に、「私の気持ちなんて何もわかっていないんだから」とか、「オレの身にもなってくれよ」と愚痴を言った経験があるでしょう。お互いに相手に望むのは、相手の立場に立って物事を考えてほしいということなのです。

一方、関係を悪くし、破綻《はたん》させる考え方には、「**原因帰属**」が関わっています。「原因帰属」とは、原因を何に求めるかといった理論で、これを対人関係に応用したのが心理学者のブラッドバリーです。

彼は、良好なカップルと冷めたカップルに、相手が、望ましい行動と、望ましくない行動の原因帰属、つまり、何が原因かをたずねました。その結果、冷めたカップルは、望ましい行動でも、どうせ、人から言われて（外的）、たまたま（不安定的）、今回だけ（特殊的）と考え、望ましくない行動だと、性格がダメで（内的）いつもダメで（安定的）他もダメ（包括的）だと考え、ますます悪循環に陥ります。**関係を長続きさせるには、こうした原因帰属を見直すべき**でしょう。

関係を終わらせてしまう原因

1. 相手の立場を理解できない

うまくいっていないカップル

自分が相手の立場を思いやることが少ない一方で、「私の気持ちなんて何もわかっていない！」などと、相手の無理解に腹を立てがち。

うまくいっているカップル

何かをしてもらったら、感謝をしっかりと態度で表す。また、相手の機嫌が悪いときも、体調を思いやるなど、相手の立場で考えることができる。

2. 関係を破綻させる考え方（原因帰属）

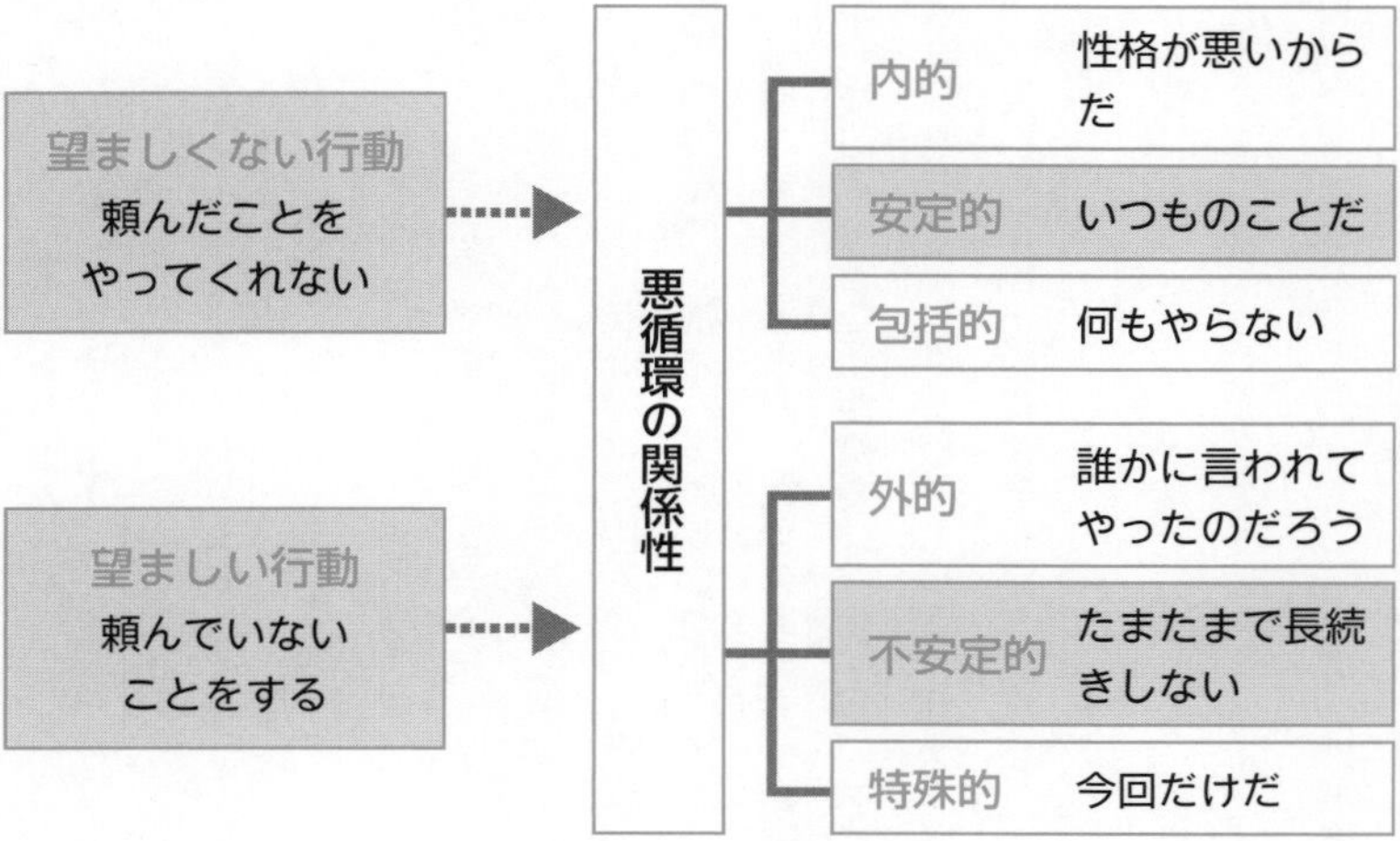

交際編

プロポーズに踏み切れないのはなぜ？

なかなか結婚に踏み切れないカップルが増えている。男性に特徴的な「ピーターパン症候群」や草食系が増えているのも一因だが、結婚に至るには重視するものの変化も大事なのだ。

長く付き合っているのに、一向に相手がプロポーズをしてこないという話をよく聞きます。結婚に踏み込めない背景には、経済的な問題も大きく影響していると考えられますが、特に最近の男性には、アメリカの心理学者ダン・カイリーが提唱した、いつまでも責任のない気楽な立場でいたいとする「ピーターパン症候群」が増えているようです。恋愛や結婚に対しても消極的な男性を示す言葉で、日本で言われている「草食系男子」（184頁）とも相通じるものがあるでしょう。

ただし、男性が消極的になったという理由だけではなく、恋愛と結婚では求められる要素が変化するということも、結婚には至らない原因の1つかもしれません。人が親密になる仮定で、長く付き合っていると変化が起こります。心理学者のマースティンは、人が交際を通じて親密になる過程をＳＶＲ理論にまとめています。最初は刺激ステージと呼ばれるもので、**出会った頃は、相手の外見が重視**されます。交際が始まると、第2段階の価値ステージとなり、**相手の考え方や趣味など、価値観が似ていることが重要**になります。そして、より親密になり結婚に進む段階では、役割ステージといって、**互いの役割分担による行動が大事**になってきます。

こうした変化に対応できないと結婚は難しく、普段モテる人が、結婚となるとうまくいかない場合は、見た目より価値観、価値観より役割といった重視項目の変化に適応できないからかもしれません。

出会いから結婚までのSVR理論

1 S段階（Stimulus）

刺激ステージ
（出会い）

出会った当初は、相手の容姿や、しゃべり方、物腰などの刺激に惹《ひ》かれる。

2 V段階（Value）

価値ステージ
（交際）

交際が進むにつれて、お互いの考え方や趣味などの価値観が似ていることが重要になる。

3 R段階（Role）

役割ステージ
（結婚）

結婚後は、お互いの役割分担が最も重要になる。

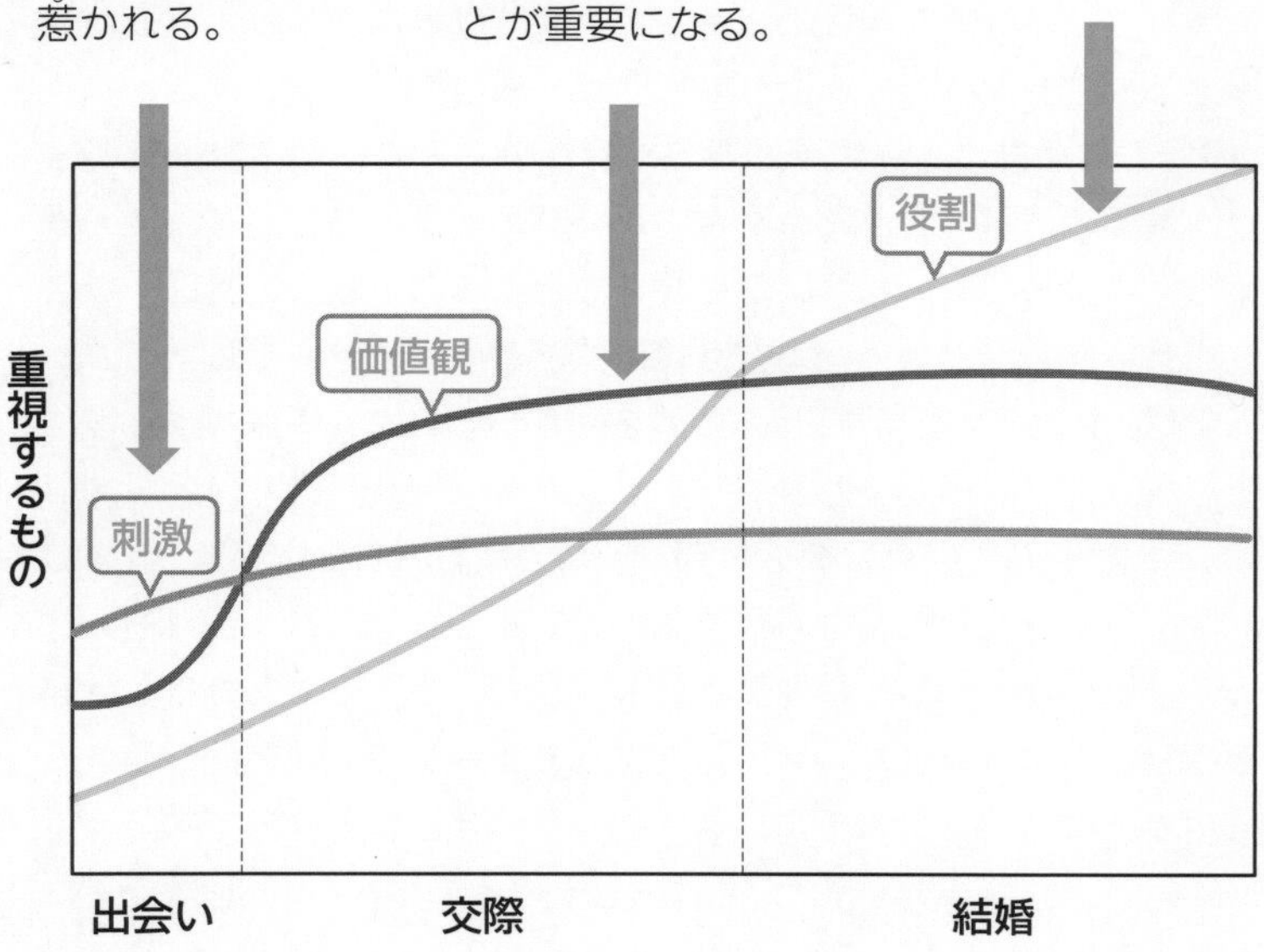

Column 7

アメとムチよりアメとムシ

相手をコントロールする方法として、望ましいことをしたらアメ（報酬）を与え、望ましくないことをしたらムチ（罰）を与える「外的動機づけ」が、行動心理学では基本とされています。

たとえば、T字型の迷路に入れたネズミを「右方向だけに進むネズミ」に育てるためには、T字路の右にエサ（報酬）を置き、左に電気ショックを仕掛けておいて、ネズミを何回か放せば、必ず右に曲がるようになります。

しかし、このアメ（報酬）とムチ（罰）のやり方次第では、逆に意欲をそいでしまうことも知られているのです。たとえば、アメ（報酬）のやり方ですが、もともとは自分でやりたい内発的動機があったのに、報酬を与えることで、外発的動機に変わり、意欲が低減する「アンダーマイニング効果」が知られています。また、ムチ（罰）の与え方にも注意が必要です。例のネズミの場合、電気ショックを強めにして、感電した場合、突然のムチにおびえて、その場にうずくまる無気力なネズミになってしまうのです。これは、リスクを冒さずじっとしていた方が適応的だと考えるからでしょう。

実は人間も同様で、相手の意欲を引き出すのにムチはあまり役に立ちません。ムチよりもムシ（ネグレクト・無視）の方が効果的です。つまり、相手が望ましい行動をした場合はほめちぎり、望ましくない行動をした場合は、無視するのです。なぜ、ムチよりもムシの方がいいかというと、ムチという行為が「かまってくれた」行為となり、アメ（報酬）になる可能性があるからです。彼氏をうまく操縦するにはアメとムチよりアメとムシの方が有効なのです。

Chapter

7

恋愛で使える心理学

〔恋愛トラブル編〕

恋愛ができない男女の心理

彼女、彼氏いない歴が実年齢という恋愛経験のない人が増えている。そこには、自分が傷つくリスク回避の心理が働いていて、絶対拒絶されない2次元を対象にする人も増えている。

結婚どころが、恋愛すらできない人たちが急増しています。いわゆる彼女、彼氏いない歴が自分の年齢と同じという人たちも少なくありません。これは少子化の影響で小中学校でもクラス替えがなくなり、物理的な出会いのチャンスが減っているといった事情もあるでしょう。しかし、その原因の多くは、**自分が傷つくのを極端に恐れて、リスクを最小限にとどめたいとする心理**だと考えられます。

いわゆる「草食系男子」は、失恋のダメージを回避するため、成功確率がかなり高くないと自分からアプローチすることはなく、デートに誘ったり、コクることもありません。自信がないため、相手からの誘いを待っていて自分からは踏み出せないのです。

一方、最近ささやかれている「こじらせ女子」という存在もあります。こじらせているのは、いわゆる「女子力」で、周囲からするとそんなに問題があるとは思えないのに、自分でハードルを上げていて、結果、自信が持てず、恋愛にも消極的になっているのです。

さらに、アニメの美少女キャラに萌《も》えを感じる「アニオタ」や、同性愛のイケメン・キャラにハマる「腐女子」たちに共通する特徴は、愛する対象がバーチャルで、自分を否定されないことです。特に腐女子は、ボーイズラブを垣間見るだけで、空想の中ですらその恋愛に女性である自分自身は参加していません。自分が相手の恋愛対象から外れている安心感が働いているとも考えられます。

草食系男子とこじらせ女子

草食系男子

- 面倒くさがり屋で消極的
- 自分より強い人には弱い
- リスクのあることはしない
- 環境の変化を嫌う安定志向

こじらせ女子

- 女子力がないと思っている
- 「なりたい自分像」が高すぎる
- 自分を演出することが恥ずかしい
- 自己評価が低くほめられても信じない

2次元オタク

「腐女子」や「アニオタ」といった人たちの2次元での恋愛は、現実の3次元の恋愛のように断られることはない。

恋愛トラブル編

仲が良いほど関係悪化は最悪

オシドリ夫婦と呼ばれていたタレント・カップルが、泥沼の離婚劇を演じることも珍しくない。仲が良いほど関係悪化は最悪な事態となるのは心理学でも確認されていることなのだ。

長く付き合っていると、必ず２人の関係に危機が訪れます。そして、一歩間違うと、最悪の泥沼状態が、続くことになるのです。

Ｓ・Ｓ・ブレームらは、関係が悪化し、崩壊の過程が長引くか、比較的早く終わってしまうかは、次の３つの要素によるとしました。１つは、自分と相手との一体感がどの程度あるかという「**関係の親密さ**」です。また、一緒に過ごす時間や活動の長さ、関係を維持しようとする努力の程度が問題で、これを「**相互依存の高さ**」と呼んでいます。最後が、相手をどの程度支え合っているかという「**自分を支える程度**」です。**この３つの要素が強ければ強いほど、関係崩壊までの期間が長引く**と考えたのです。

しかし、これらの要素は、そのまま、２人の結びつきを強くするもので、あなたとパートナーとのロマンチックな関係を長く続かせる要素でもあるのです。つまり、仲が良ければ良いほど、関係が悪化すると、泥沼の期間が長く続き、最悪になるというわけです。

さらに、Ｇ・レヴィンガーによると、関係が悪化した際に、相手が、「もはや新しい生活しか考えられない」「相手とは別にパートナーになる人がいる」「結局、努力しても関係維持は無理」「もう、関係を続けるのに疲れた」と考えていると、さらに関係が悪化し、最悪の事態になると言います。

まさに、「かわいさ余って憎さ百倍」と言うように、**仲が良いほど一度関係が悪化すると泥沼化**します。

泥沼が長引くカップルのタイプとは？

①2人の関係が親密すぎる
②お互いに依存しすぎ・頼りすぎている
③「相手なしでは生きていられない」と思っている

この3つがお互いに混じり合っていると、「甘〜い関係」が長く続くものの、いったん関係が悪くなると泥沼状態になりやすい。

パートナーとの関係悪化促進要因

G・レヴィンガーによると、関係が悪化した際に、相手が次のように考えていると関係がより悪化する。

▶「もはや新しい生活しか考えられない」
▶「相手とは別にパートナーになる人がいる」
▶「結局、努力しても関係維持は無理」
▶「もう、関係を続けるのに疲れた」

自分ばかりが尽くしてしまうワケは？

自己評価が低い人は、こんな自分でも付き合ってくれてありがたいと考え、相手に尽くしたり、貢いだりする。しかし、自信を持てば相手からの評価も高まり対等に付き合えるはずだ。

自分ばかりが尽くして、相手は自分のことを大切に思ってくれないということはないでしょうか。まさに「惚《ほ》れた弱み」と言うやつで、愛情が強い方が弱い立場になり、相手に尽くさなければならなくなるのです。これが「**最小関心の原理**」と言うもので、ホストやダメ亭主に貢ぐ心理なのです。

これは、**社会交換理論**からも説明することが可能です。**自分が相手にかけた精神的負担（精神的コスト）が、相手からの愛情という精神的な報酬とバランスがとれている**のです。はたから見ると、時間や労働、金品を奪われていて、どうして、あんな相手に貢ぐのか疑問に思われますが、本人としては、精神的にバランスがとれた状態にあります。

しかし、愛情の返報もほとんどないのに、一方的に貢がされている場合は、**恋愛依存症**を疑ってもいいかもしれません。すべて相手の言う通りで、相手がいないと不安でたまらなくなり、相手がいるからこそ生きていけるとまで思ってしまうのです。

こうした、相手に尽くしたり、貢いだりする人の多くが、自己評価が低く、つねに不安や自己嫌悪を感じていて、相手の言いなりになってしまうのです。しかも、こうした**自己評価が低いと、相手に対して卑屈になり、相手からの相対的評価がますます低くなり、より尽くさないと関係を維持できなくなり、悪循環となります。逆に自信を持てば魅力的になり、相手からの評価も高まって好循環が生まれてくる**のです。

「尽くす」場合もバランスがとれている？

「相手に尽くせば尽くすほど愛情も
たくさんもらえる」と思いがち。

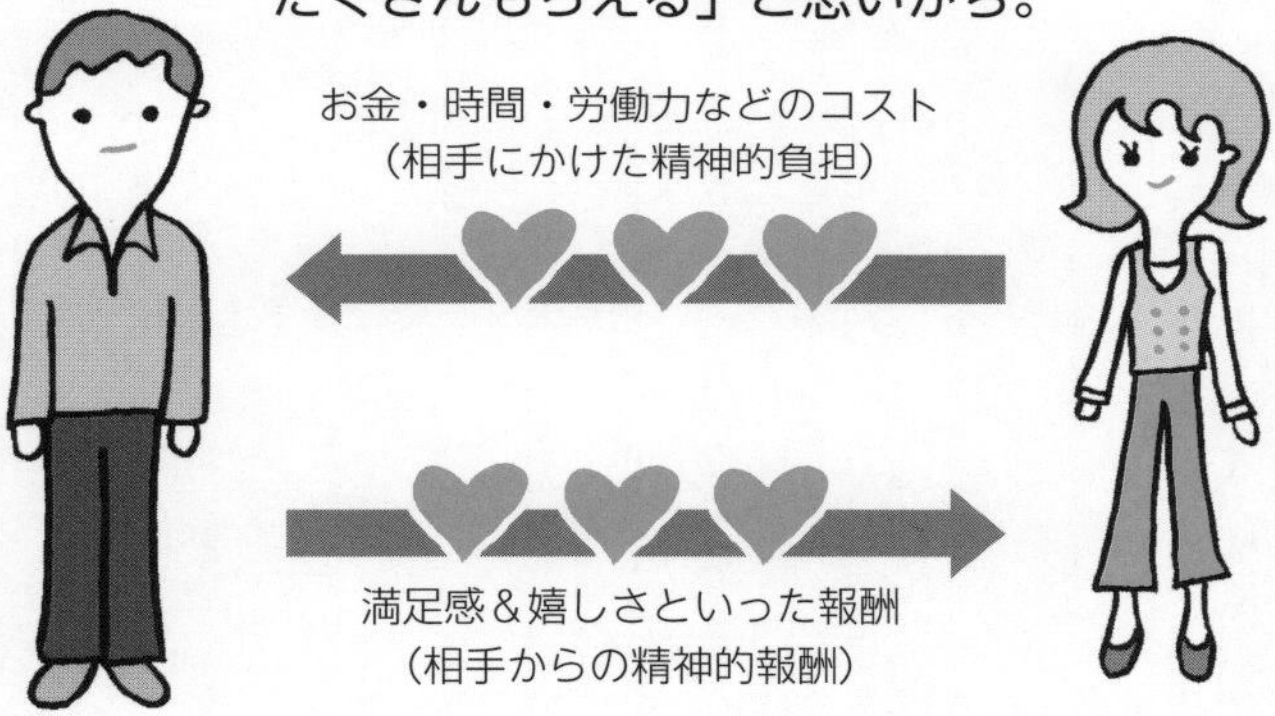
お金・時間・労働力などのコスト
（相手にかけた精神的負担）
満足感＆嬉しさといった報酬
（相手からの精神的報酬）

「尽くす」タイプは自己評価が低い人

自己評価が低い人は……

これ、どうかな…
ま、嬉しいけど…

自分を卑下しがちだと、どんなに相手に尽くしても飽きられてしまう。

自己評価が高い人は……

ね、あれ食べたい！
いいね
クレープ

自己主張ができることがかえって魅力的で輝いて見える。

逆に相手に尽くさせると、あなたへの愛が深まる

自分に自信を持ち、自己評価を高めていこう！

恋愛トラブル編

いつもダメ男を選ぶ心理

なぜか、いつもダメ男を選ぶ女性がいる。実は、ダメ男には自分がいなければダメだと思い込み、ダメ男を助けることで自分の存在価値を確認する「共依存」関係にあるのだ。

定職に就かず、ギャンブルに明け暮れ、借金まみれで、昼間から酒をあびるように飲んでいるダメ男になぜか、けなげに尽くす美人妻がよく映画やドラマに登場します。幼い子どもをおぶったまま、ミルク代にとっておいたお金に手をつけ、着物や大切な親の形見まで、質に入れられて泣き崩れる場面です。

ここまでひどくはなくても、ダメ男にひっかかった経験のある人も多いのではないでしょうか。通常は、二度とゴメンだと反省して、次はきちんとした人を選ぼうと学習します。ところが、中には、いつも決まってダメ男を選んでいる女性がいます。本人は男運がないと嘆くのですが、ダメ男とやっと別れたと思ったら、また同じようなダメ男に貢ぐのです。

こうした人の中には、**幼い頃、父親がダメ男で、その父親を愛せなかったり、救えなかったりした補償《ほしょう》行為として、ダメ男を選んでしまう**場合があります。また、そうした父親に尽くしていた母親を**モデリング**（他者の行為を観察し同様の行動様式を学ぶもの）してしまい、同様の行為をとっている場合もあります。

しかし、その多くは、この男には自分がいなければダメだと考え、**依存してくるダメ男を助けることで、自分の存在価値を感じている**「**共依存**」の場合です。

たとえば、売れないお笑いタレントの卵に貢ぐのは、評価されていないという認知と、貢いでいるという認知がぶつかり、認知的不協和を解消するために、彼は面白いと思い込んでいるのかもしれません。

典型的なダメ男

借金
借金
浮気
暴力
依存症

なぜ「ダメ男」にハマるのか？

お互いに依存し合っている、「ダメ男」と「ダメ男好き女子」。
なぜそんな関係になるのか……？

ダメ男好き女子の特徴

- 面倒見がいい
- 生活が自立している
- 自分を卑下しがち

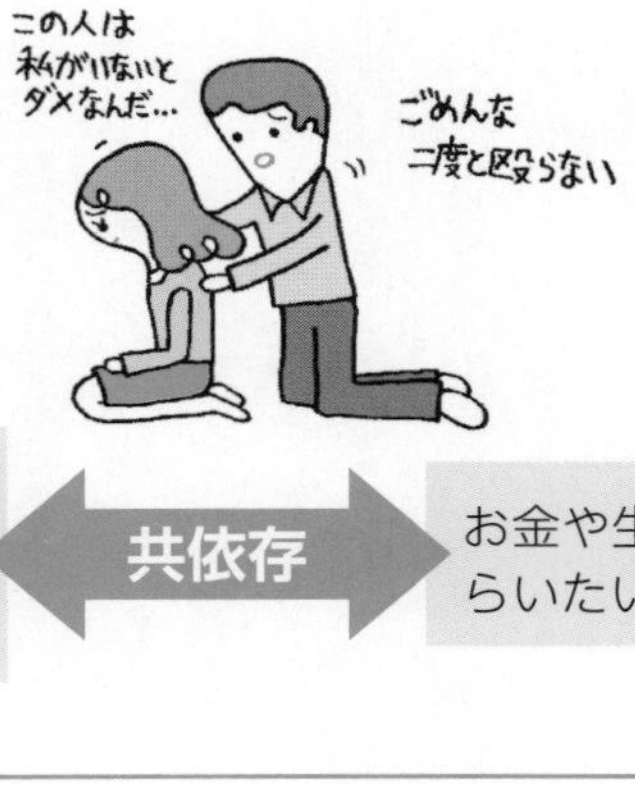
この人は
私がいないと
ダメなんだ…
ごめんな
二度と殴らない

ダメ男の特徴

- 働かない
- 生活力ゼロ
- 借金の山

誰かの面倒を見ることで自分の存在価値を確かめられる。

⟷ **共依存** ⟷

お金や生活を助けてもらいたい。

恋愛トラブル編

友人の彼氏の方がステキに見えるのは？

嫉妬《しっと》と羨望《せんぼう》は心理学では異なり、嫉妬は愛情に関する3者関係で、羨望は社会的比較に関する2者関係。この違いを混同して友達から夫を奪うと、愛のない結婚をしてしまう。

女友達の中に、友達の恋人にすぐに手を出してしまう小悪魔的な女性がいないでしょうか。しかも、自分にも彼氏がいるのにです。ダブル不倫と言うものですが、そうやって不倫した同士が結びついたのに、お互いのパートナーと別れてみると、相手がそんなに良くは見えなくなって、すぐにも関係解消といったことがあります。

これは、まさに、「隣の芝生は青く見える」と言うもので、こうした人をうらやむ気持ちを、心理学では「羨望」と呼んでいます。一般には、嫉妬と羨望は同じように扱われますが、心理学では、**嫉妬は自分が愛する人とライバルと自分というように、3者関係であるのに対して、羨望は2者関係**です。

友人のパートナーを見て、**羨望の気持ちが湧くのは、自分のパートナーに対する日頃の不満があるから**です。パートナーの性格や欠点については良く知っているので、ついつい過小評価してしまいます。また、日頃の不満や、過去のいさかいの経験から感情のしこりがあり、相手を否定的に評価してしまうのです。一方、友人のパートナーのことは良く知らないので、外見や職業、学歴など少しでも良いことがあるとステレオタイプが働き、ハロー効果で過大に評価してしまいます。

羨望は、嫉妬と違って愛情ではなく、社会的比較からくるものなので、元夫と別れ、友達のパートナーと結ばれると、比較対象を失って、愛情だと思っていた感情も薄れてしまい、別れるというわけです。

友達の恋人はなぜステキに見えるのか？

嫉妬と羨望の違い

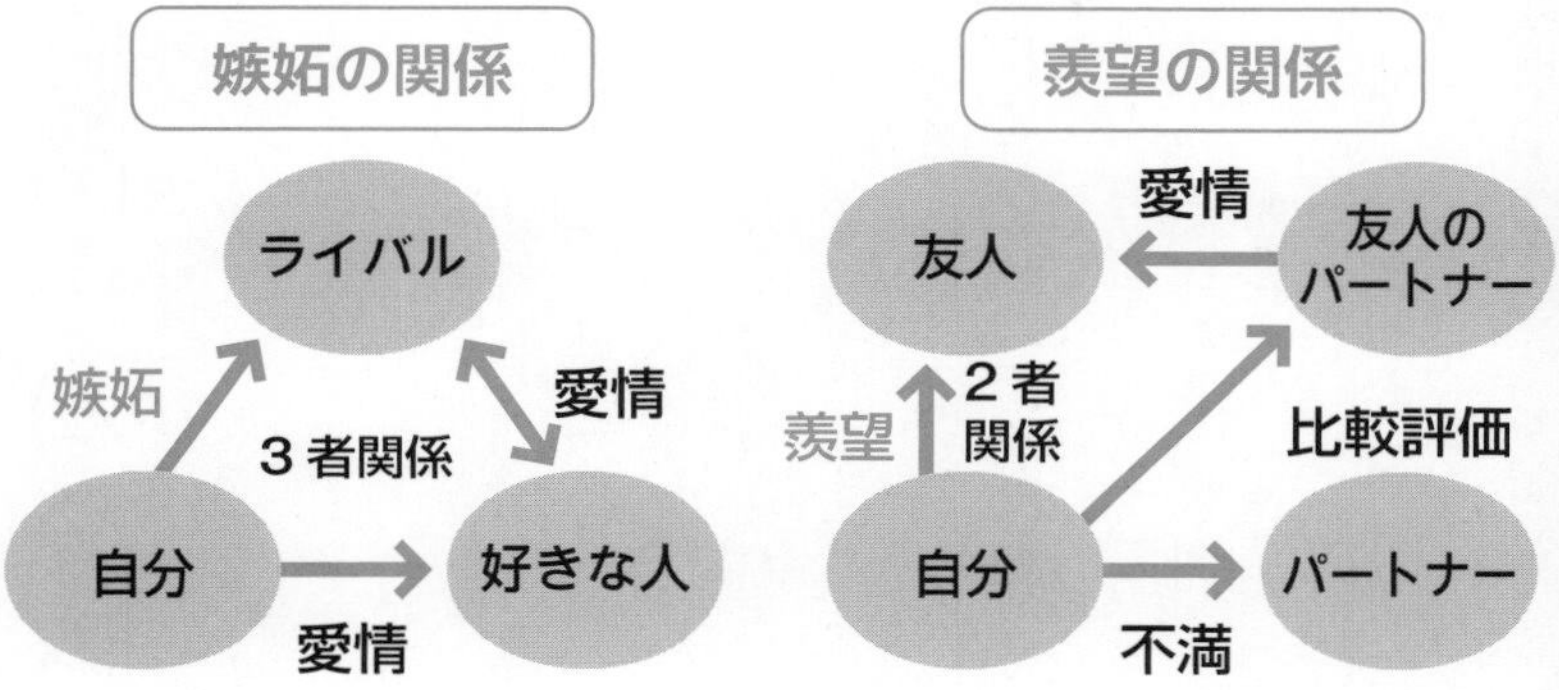
嫉妬の関係
ライバル
嫉妬
3者関係
愛情
自分
好きな人
愛情
羨望の関係
愛情
友人
友人のパートナー
羨望
2者関係
比較評価
自分
パートナー
不満

過小評価と過大評価、2つのバイアス

いいなあ

過小評価

パートナーの性格や欠点は良く知っているので、相手の欠点が目についてついつい過小評価してしまいがち。また、過去のケンカやいさかいから、そのときの感情のしこりがあり、相手を否定的に評価してしまう。

過大評価

友人のパートナーについては、良く知らないので、外見や職業など1つでも自分のパートナーより良いことがあるとステレオタイプが働き、ハロー効果で過大評価をしてしまう。

恋愛トラブル編

不倫関係から抜け出せない

禁止されるとやりたくなり、やれと言われるとやりたくなくなる。不倫も、こうした心理的リアクタンスによる「カリギュラ効果」が働いているため、なかなかやめられないのだ。

昼メロでありませんが、周囲に反対されればされるほど、燃え上がる不倫カップルは意外に多いものです。不倫とは、その名の通り、倫理にもとる行為として、最近では、社会的にも風当たりが強くなってきて、不倫がバレて謝罪会見をするタレントも目にするようになってきました。しかし、風当たりが強くなり、不倫をしてはいけないと言われれば言われるほど、人は不倫で燃え上がるものなのです。

これは、限定商品や会員制のお店など、制限すればするほど買いたくなる心理と同じで（116頁）、人にはやめろと言われればやりたくなり、やれと言われれば、やりたくなくなる「心理的リアクタンス」（反発心）があるからです。

かつてアメリカで、『カリギュラ』と言う映画が公開されました。狂気の暴君として知られるローマ皇帝の生涯を描いたもので、残虐シーンや性的シーンが多いので、ボストンでは上映が禁止となりました。すると、まさにこの心理的リアクタンスに火がついて、近隣の町の映画館にボストン市民が押しかけたのです。このことから心理学では、「心理的リアクタンス」の効果のことを「カリギュラ効果」と呼んでいます。

ところで、なぜ禁止されると心理的リアクタンスが働くのでしょう。人には自分でやろうと思えばやれるという「自己効力感」があり、禁止されるとこれが低減します。つまり、**不倫が禁止されればされるほど、自己効力感を回復しようと不倫に走る**のです。

不倫は限定商品と同じ!?

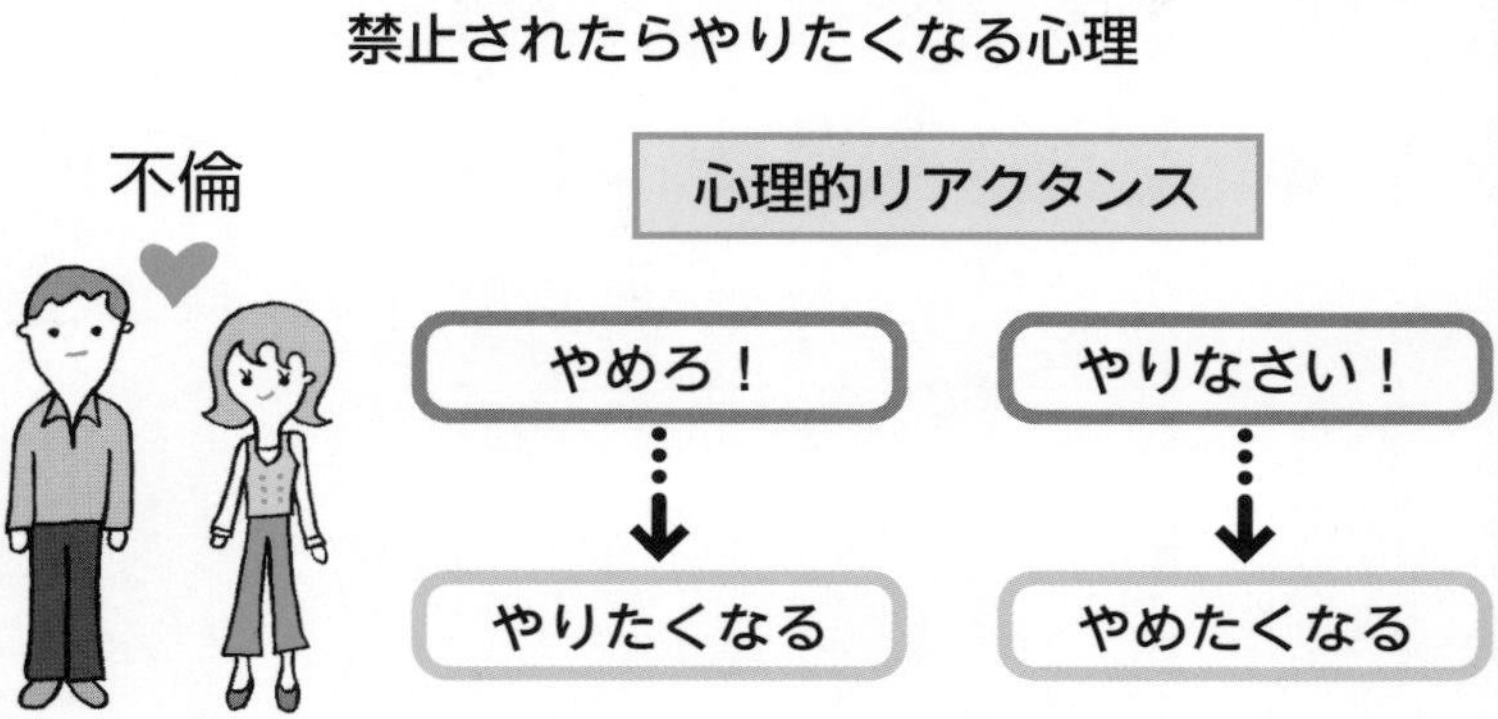
禁止されたらやりたくなる心理
不倫
心理的リアクタンス
やめろ！
やりたくなる
やりなさい！
やめたくなる

不倫が起こる要因

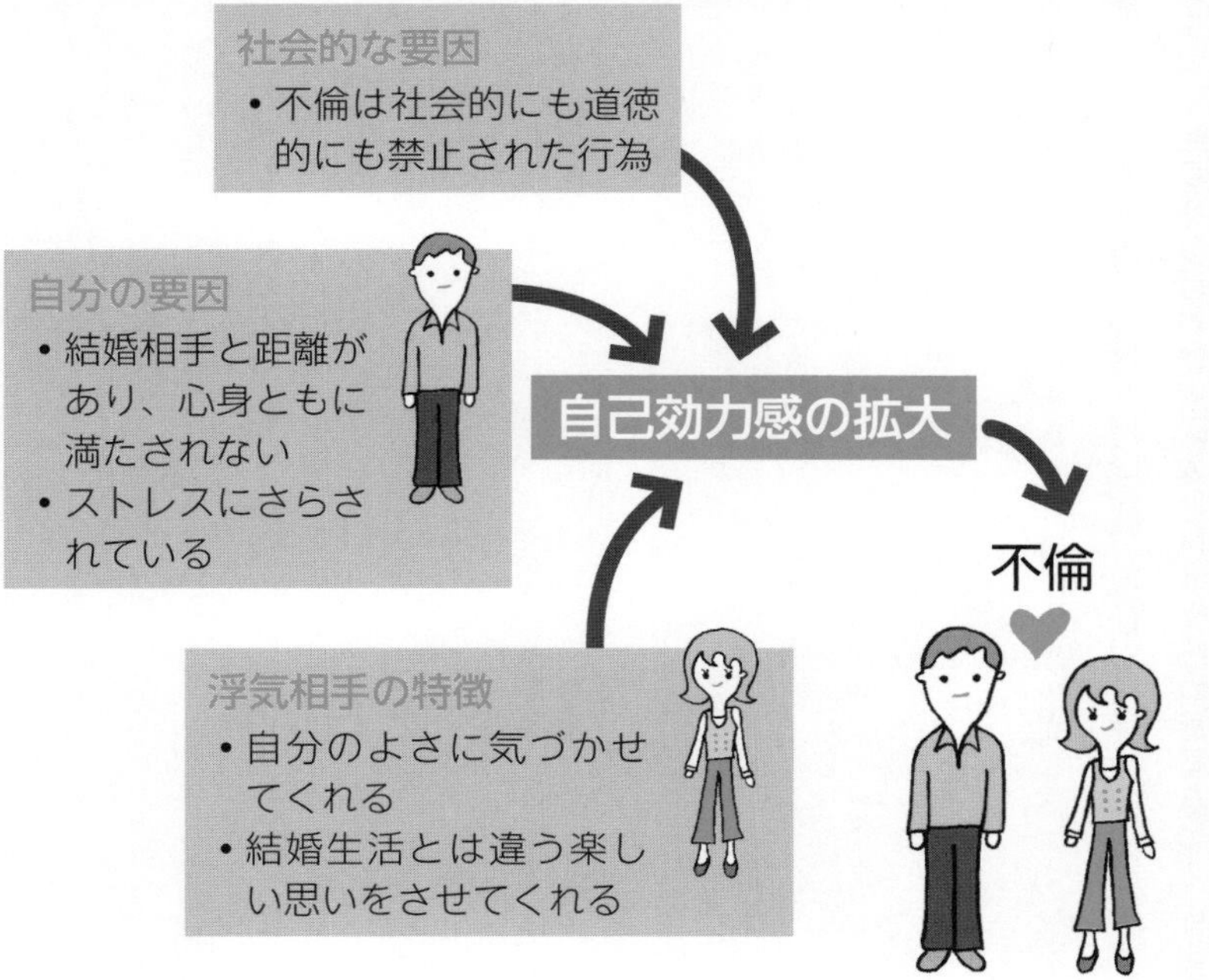
社会的な要因
・不倫は社会的にも道徳的にも禁止された行為
自分の要因
・結婚相手と距離があり、心身ともに満たされない
・ストレスにさらされている
自己効力感の拡大
浮気相手の特徴
・自分のよさに気づかせてくれる
・結婚生活とは違う楽しい思いをさせてくれる
不倫

様々な性的指向《しこう》の人たち

人の性的指向は様々だ。フェティシズムに異性装、ＳＭにロリコンと、かつては精神障害と判断されていたものも現在は、心理社会的問題を起こさない以上、障害とはされていない。

性的指向は人それぞれです。足フェチや靴フェチなど、体や特定のものに性的興奮を感じる**フェティシズム**や、女装、男装で性的興奮を感じる**異性装**などがありますが、最も有名なのは**ＳＭ**でしょう。

Ｓ（サド）は、小説家マルキ・ド・サドからとられたサディズムのことで、相手に苦痛を与えて性的快感を得るものです。一方、Ｍ（マゾ）は小説家ザッハー＝マゾッホからとられたマゾヒズムで、逆に苦痛を受けることで、性的快感を得るものです。サドとマゾはちょうど相反する関係にあり、精神分析学のフロイトは、幼児期の快感への退行現象ととらえ、サディズムの対象が自己に向かったものがマゾヒズムだと考えました。また、長らく精神障害と考えられてきたのですが、最新のアメリカ精神医学会による「精神障害の診断と統計マニュアル（ＤＳＭ－５）」では、同意していないものに対して、苦痛を与えたり、それを空想することで、心理社会的問題が生じていると自覚している場合のみ性的サディズム障害とし、同じく、マゾヒズムも社会的な問題が起きていなければ障害とは認められていません。

一方、**ロリコン**はナボコフの小説『ロリータ』が由来の和製英語で、幼い子どもに性的な興奮を覚えるものです。精神疾患として小児性愛障害がありますが、こちらも対人関係上の問題がなければ障害とは認定されず、**多くの性的指向が、現在では反社会的な問題を起こさなければ、障害とは考えられなくなっています。**

様々な性的指向

ロリコン

幼女や少女を恋愛対象、性の対象としている少女偏愛性の成人男性のこと。和製英語の俗語でロリータ・コンプレックスの略。

サディズム・マゾヒズム

端的にいえば、相手を肉体的・精神的にいじめて性的快感を得るのがサディズム(加虐行為)で、逆にいじめられて性的快感を得るのがマゾヒズム（被虐行為）。

ファザコン

自分の父親に対して、恋愛感情に似た強い愛着をもっている子どものこと。心理学用語ではなく和製英語からきた俗語。

異性装

異性の服を着ることで快感を得る行為。一般的には「服装倒錯」「服装倒錯者」とも言われる。トランスヴェスタイト。

恋愛トラブル編

ＤＶ被害者はなぜ逃げられない？

現在、社会問題にもなっているのがＤＶ被害だ。法整備がされても、家庭内という、他人の目が届かない閉鎖空間で行われ、共依存関係も手伝って被害者は逃げることができなくなる。

　恋人や結婚相手など、一緒に生活を共にしているパートナーから受ける家庭内暴力を**ドメスティック・バイオレンス（ＤＶ）**と呼んでいます。身体的、性的暴力だけでなく、経済的、言葉による精神的暴力も含まれています。社会問題化し、２００１年にはＤＶ防止法、配偶者暴力防止法が施行されています。

　加害者の多くが男性ですが、女性の場合もあります。嫉妬深く、支配欲が強く、自分が傷つくことには敏感で、外面が良く、会社では、おとなしく従順です。性的役割を当然と考え、パートナーへの自分の理想像を押しつけてきます。対人関係などのストレスを抱えていて、そのはけ口として、自分より弱い存在に暴力を振るうケースが多いようです。

　彼らは、ＤＶサイクルと呼ばれる3つの時期をくり返しながら、暴力を振るいます。最初は、「緊張の蓄積期」で、抑圧されて緊張が高まり、小言や不満を言うようになります。そして、ついに感情のコントロールが利かなくなり、怒りと暴力が爆発します。これが「暴力の爆発期」です。ところが、この時期を過ぎると豹変《ひょうへん》して、「もう暴力は振るわない。許してくれ」と謝罪し始めます。これが「ハネムーン期」で、このとき、被害者も相手が変わってくれると期待するとともに、私がいなくてはこの人はダメだと思ってしまうのです。よくＤＶ被害者はなぜ逃げないのかと言われますが、こうした**共依存関係や未練、仕返しへの恐怖、経済的不安など様々な要因から逃げられない**のです。

DV加害者の主な特徴

支配欲・独占欲が強い
家族への執着心が強く、「家庭が安全なのは自分のおかげ」と思い込んでいる。したがって、誰か（家族でも）が家のことに口出しすると異常にキレる。

第三者の前や外では物静か
友人関係ではまじめで温和、面倒見がいいと思われている。仕事熱心で従順なため、会社での評判もいい。

嫉妬深い
パートナーが自分以外の人間（特に男性）と話したり、少しでも親しげな様子を見せただけで激怒し、言葉や力の暴力を振るう。

パートナーへの過剰な依存と期待
女性に対する「自分の理想の姿」に固執しており、パートナーにそれを強要する。理想像と少しでも違ったことをすると許せない。

傷つきやすい
相手の発する言葉に非常に敏感で、すぐ傷つく。傷つけられると感情が爆発してコントロールが利かなくなる。

男女の役割分担にこだわる
男女の役割についてうるさく、「妻は家庭にいて夫の言う通りにするもの」と封建的な考えをもっている。

なぜDVのループから抜け出せないのか？

DVは、3つの期間をくり返す悪循環のケースがほとんどです。

①イライラがつのる
緊張の蓄積期

イライラがたまり荒々しい言動になっていく加害者に対し、被害者の緊張感が高まっていく期間。

②言葉と力による暴力の爆発期

加害者が自分をコントロールできなくなり、被害者に対し様々な危害を加える。

この人は
私がいないと
ダメなんだ…
ごめんな
二度と殴らない

③後悔と愛情表現の
ハネムーン期

爆発したことで落ち着いた加害者が被害者に対し、「すまなかった。キミなしでは自分はダメなんだ」などと謝罪と愛情の言葉をかける。

なぜストーカーになるのか?

ストーカーとは、ほとんど面識がなくても自分が愛されているといった妄想や、別れた相手に執着して復讐《ふくしゅう》のために付きまとう行為で、凶行に及ぶケースも多い。

DVとともに社会問題化しているのが**ストーカー**です。その心理的背景には、身勝手で病的な妄想や復讐心があります。たとえば、一瞬会っただけで、まともな会話もしていなくても、「相手は自分を愛しているはずだ」と勝手な妄想に浸ってしまうのです。こうなると、いくら拒絶や否定をしてもダメなのです。「何かの理由があって自分のことが好きじゃないと言わされている」「家族が邪魔をしている」などと思い込み、被害者だけでなく、その家族までも被害に遭う場合もあるのです。

さらに、拒絶を続けていると、怒りが爆発し、どうしてこんなに愛しているのにわかってくれないんだと凶行に及んでしまうのです。

一方、妻や恋人などに、離婚や別れを告げられて、復縁を迫り、拒絶されたことでストーカー化し、復讐や報復のため迷惑行為を行うものもいます。最近問題になっているリベンジ・ポルノなどもストーカー行為の一種だといえるでしょう。

では、どうしてストーカー化するのでしょう。好きな人に別れ話を切り出されて、復縁してほしいと頼み込んだり、誰かに馬鹿にされて復讐したいと思うのは、普通のことです。しかし、普通の人は、社会的な規範や抑制が働きますが、**ストーカー化する人には異常な妄想癖や人格障害が潜んでいる可能性**が高く、すぐに警察に保護を申し出たり、弁護士やしかるべき機関に相談したりすべきでしょう。

典型的なストーカー化のパターン

思い込み

相手の言動を自分にいいように解釈し、「彼女（彼）は自分に気があるようだ」と思い込む。

↓

つきまとい

いわゆる「つきまとい行為（ストーキング）」が始まり、一方的なプレゼント攻勢、しつこい電話やメールをくり返す。

↓

妄想

相手からやめるように言われても、「恥ずかしがっているんだな」などと自分にいいように解釈する。

もうやめてください…
照れちゃって
ニヤニヤ

↓

過激化

オレの気持ちを
もてあそびやがって！
ガクガク

自分の思いを拒絶されていることに気づくと「かわいさあまって憎さ百倍」となり、暴力など過激な行動に走る。

ストーカーのタイプ

純愛タイプ	通勤・通学時に見かけただけなど、話をしたこともない相手に一方的な妄想を膨らませる。
「ファン」タイプ	テレビや雑誌などで目にする有名人や著名人に、勝手に思いをつのらせていく。
失恋タイプ	片思いの相手に告白して断られたり、恋人から「別れる」と言われても聞き入れず、いつまでもまとわりつく。
離婚タイプ	離婚したあとも相手につきまとい、復縁を迫り続ける。
憧れタイプ	先輩や上司、先生など憧れている人に対して一方的に思いを寄せ、まとわりついていく。

失恋から立ち直るには？

失恋で落ち込んだときは、泣きたいだけ泣くのがおすすめ。また気晴らしや楽しいイベントは逆効果で、沈んだ気分に浸り、失恋した者同士で励まし合うのが効果的だ。

失恋したとき、嫌なことは早く忘れようとする人がいます。でも、そうすればするほど、逆に、強く意識してしまいます。では、どうすればいいのでしょう。

逆に徹底的に考えることです。このとき、失恋の原因をどこに求めるかによって、立ち直り方に違いが出ます。これを**原因帰属**（178頁）と言います。原因を自分以外のことに求める外的帰属型だと、「運が悪かったんだ」「相手に見る目がない」と考え、立ち直りは早いのですが、反省しないので、同じ失敗を繰り返すかもしれません。一方、自分に求める内的帰属型だと、「自分に魅力がなかったから」「私があんなこと言わなければ」とどんどん自分を追い込んでしまって、なかなか立ち直れません。程よく反省して気持ちを切り替えるべきですが、そんなにうまくはいきません。だったら、**徹底的に考えて、泣きたいだけ泣いた方がスッキリする**のです。

さらに、同じように失恋した友人と同病相憐れむで、お互いの失恋の話をして、励まし合うのがおすすめです。**エンカウンター・グループ**と言うカウンセリング手法があるのですが、落ち込んでいる者同士、お互いの気持ちを言語化し自己洞察を手伝い合うという手法です。実は、**落ち込んだ気分から抜け出すには、楽しいイベントや気晴らし、楽しい音楽は逆効果で、沈んだ気分に浸ることが気分転換の近道**です。失恋したときは、悲しい気持ちを歌い上げた失恋ソングがおすすめなのです。

恋愛成就とフラれたときの原因帰属

	うまくいったとき	フラれたとき
外的帰属型 ・立ち直りが早い ・反省はしない	運が良かった。 相手とたまたま気が合った。	運が悪かった。 相手に見る目がない。
内的帰属型 ・立ち直りが遅い ・過度に反省しがち	自分の思いが伝わった。 相手に気に入られるように合わせる努力をしたから。	自分に魅力がなかった。 あんなことを言ってしまったから。

「外的帰属型」は、原因を外に向けるので、立ち直りが早いが、同じ過ちをくり返しやすい。一方、「内的帰属型」は、原因を自分自身に向け、過度に自分を責め、なかなか立ち直れない。

お互いに励まし合って沈んだ気分に浸って解消

失恋したら「失恋ソング」が癒やしになる

失恋したら誰でも落ち込むもの。そんな気持ちを盛り上げようと、楽しい曲を聴くのは逆効果。悲しいときは泣くだけ泣いて、スッキリした方がいい。失恋をテーマにした歌はたくさんあるので、そんな「失恋ソング」を聴いてどっぷり悲しい思いに浸る方が、かえって気分転換の近道になる。同じ境遇の友人と悲しい失恋の歌を泣きながら歌うことで、自分の気持ちの整理がつくはずだ。

Column 8

相手に貢がせるほど惚れられる!? モテる法則

同性から見ると、ただのわがままな女性なのですが、なぜかモテモテで、言い寄る男たちに、貢がせ、おごらせ、送り迎えまでさせている人がいます。確かに見た目は美人に違いありません。でもそれだけはなさそうです。実は、貢がせると相手が自分を好きになるのです。これは、どんどん頼みごとをお願いすると好きになる認知的不協和理論でも説明できます（150 頁）。つまり、好きでもない人には貢がないとする認知と、自分が貢いでいるという認知が矛盾して不協和となり、貢いでいるのは好きだからだと認知を変えるのです。

しかし、もっと単純に「自己知覚理論」によっても説明が可能です。試しに彼女に夢中な男性に、どうして貢ぐのか聞いてみましょう。間違いなく「好きだからに決まってるだろ」と答えるはずです。ここに彼女がモテる理由があるのです。人は、まず感情があって、行動していると思われています。ところが、心理学の知見では、行動によって感情を強く意識するというのです。たとえば、泣くのは、悲しいからだと言いますが、実は泣くという行動によって悲しいという感情を強く意識するようになるのです。

心理学者のベムは「行動という梯子《はしご》を上れば、塀の向こうの自分が見える」と語っていますが、泣けば悲しいと思うし、怒鳴れば、腹が立っていると感じるものなのです。つまり、好きだから貢ぐのではなく、貢ぐから好きだと自覚するのです。その意味では、ストーカーも、待ち伏せをする行動によって、相手を好きでたまらなくなるのです。つまり、モテたければどしどし貢がせることです。

Chapter

8

元気になるための心理学

〔悩み解消！〕

悩み解消！

意識して行動すれば幸福になれる!?

豪邸に住み、お金があり、高級車を乗り回していれば幸福なのだろうか。実は、幸福感には、環境的要因は10%しか貢献していない。幸福を求めて行動することが大事なのだ。

「どうせ私なんか幸せになれない」。心のどこかでそう思っていないでしょうか。そんなことはありません。誰しも幸福になれる方法があるのです。

心理学者のソーニャ・リュボミルスキーらの研究では、幸せを感じる要因には、「遺伝的要因」「環境的要因」、そして「**本人の意図的行動**」があると言います。

遺伝的要因とは、生来の幸福感の設定値のことで、要するに生まれつき幸福を感じやすい度合いのことです。これは一生を通じて変えることができません。また環境的要因とは、既婚か未婚か、裕福か貧乏か、健康か病気か、信仰心があるかないかといった全般的な生活環境のことです。意外なことに、収入や健康など、私たちの幸福を決定するかに見えた様々な環境要因を含めても、幸福感には10%しか影響しないのです。なぜなら、昇進した、家を買った、宝くじが当たったなどの環境的要因で、最初は幸福感を感じますが、人間はすぐにその環境にも適応してしまうからです。

一方、「本人の意図的行動」が40%も影響していたのです。これは、自分が幸せになろうと意識的に努力することで、日々の活動や努力だけでなく、物事をポジティブに考える認知活動もふくまれています。

つまり、**人は主体的に行動していくことで、自ら幸福度を高めていける**のです。しかも、本人が目的を持って幸福へと努力した場合は、幸福度に関して、**環境的要因よりも長期的な効果がある**ことが知られています。幸せになれるかどうかは、あなた次第なのです。

持続的な幸福感への影響要因

幸福感への影響は、遺伝的要因が 50%を占め、また環境的要因は 10%にしか過ぎない。残りの 40%は、本人の意図的行動が占めており、出世や生活環境の向上を図るよりも、自身の意識を変えることの方が大きな意味を持つ。

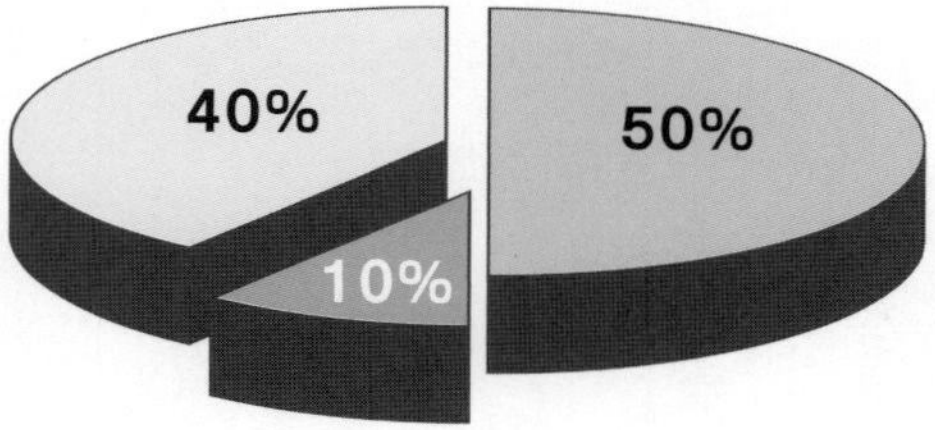

遺伝的要因 → **50%** 一生不変

生来の幸福感の設定値のことで、生まれつき幸福を感じやすい度合いのこと。

環境的要因 → **10%** 一時的

既婚か未婚か、裕福か貧乏か、健康か病気か、信仰心があるかないかといった全般的な生活環境のこと。

本人の意図的行動 → **40%** 長期的

自分が幸せになろうと意識的に努力すること。日々の活動や努力だけでなく、物事をポジティブに考える認知活動もふくまれる。

悩み解消！

言葉や考え方をポジティブに変えよう！

自信が持てず、いつもマイナス思考に陥っている人は、言葉遣いや考え方をポジティブに変えてみよう。否定形を肯定形に変えるだけで、なんだか元気が出てくるはずだ。

なんとなく自信が持てず、いつも否定的に考えてしまう。いつも卑屈になって、悪い方に考えてしまう。そんなことはないでしょうか。これは、ネガティブな自動思考に陥っているのです。

たとえば、メールやＬＩＮＥで、返事がなかったり、既読無視にされると、自分が嫌われているのではと思ってしまいます。また、同僚がすれ違っても挨拶しないと、自分に対して怒っているのでは、などと反射的に思ってしまいます。これが、ネガティブな自動思考と言うもので、自分に自信がなかったり、落ち込んでいたりすると、客観的に考えることができず、悪い方に悪い方に考えてしまうのです。これがひどくなると、被害妄想となる場合もあります。

こうしたネガティブな自動思考をやめて、ポジティブ思考に変えるには、**普段から、できるだけ否定形をやめて肯定形で表現するように努力する**ことです。

たとえば、「ほとんどわかりません」は、「少しはわかります」。「納期まで２日かしかない」は、「納期まで２日ある」。「今日中にはできません」は「明日にはできます」に変えると、なんとなく元気が出てきます。

特に注意したいのが「すみません」の使い方です。謝るときは仕方ないですが、手伝ってもらったときや、親切にしてもらったときでも、自信のない人が連発するのが「すみません」です。これを**「ありがとう」に変えてみましょう。**物事に前向きになれるだけでなく、周りの見る目も変わってくるはずです。

ポジティブに考えよう！

ネガティブな自動思考をやめる

ケース	自動思考	ポジティブ思考
メールやLINEで返信がない	私は嫌われているんだ	忙しくて見ていないんだな いつもレスの遅い人だったな
同僚が挨拶しない	自分が何かしたのでは？	考えごとに気をとられていたんだな
声をかけても返事がない	なんだよ、無視かよ…	自分の声が小さくて聞こえなかったんだな

否定形ではなく肯定形にしよう

ほとんどわかりません ➡ 少しはわかります
納期まで２日しかない ➡ 納期まで２日もある
今日中はムリです ➡ 明日にはなんとかできます

「すみません」ではなく「ありがとう」にすると……

- 物事に前向きになれる
- 「謙虚な人だな」と周りの見る目が変わる
- 相手も自分も気持ちが良くなる

悩み解消！

幸福感を高める方法

ポジティブ心理学の主要研究テーマの1つが、幸福感だ。様々な研究が行われているが、その中から幸福感を高めるための方法をいくつかご紹介しよう。

どうすれば幸福感を高めていけるのでしょうか。心理学の中でも、幸福感を研究テーマとしているのが「**ポジティブ心理学**」と呼ばれるものです。従来の心理学が、精神疾患や不安など人間のネガティブな面に注目して研究してきたのに対して、幸福感や人間同士のきずななど、人の肯定的な面を研究しているのがこの心理学です。

たとえば、ポジティブ心理学のディーナー博士らは、人の幸福感を左図のような公式に表しています。幸福感は、自分が現在持っている地位やお金だけで決まるわけではありません。自分が望んでいる者との関係で決まると言うのです。たとえば、宝くじで1000万円が当たったとします。500万円の車が欲しい人と1億円のマンションが欲しい人では20倍も幸福感が違うことになります。この公式から見えてくるのは、**高望みをすればするほど、人は幸福感を失う**のです。

このように、物の見方や価値観、行動によっても幸福感は変わります。そこで、ポジティブ心理学の知見から、幸福感を高める方法をいくつかご紹介しましょう。たとえば、他人のためにお金を使ったり、親切にしたりするのがおすすめです。これは利他行動と言うもので、心理学者のダンは、自分以外のためにお金を使うことで、リュボミルスキーは、人に親切にすることで幸福感が高まると言います。また、ポジティブ心理学の創設者セリグマンは、1日の終わりに、良かったことを3つ書き出すといいと言っています。

幸福感の公式

幸福感は、自分が現在持っている地位やお金だけで決まるわけではない。アメリカの心理学者ディーナーらは、幸福感を持っているものと望んでいるものとの関係によって以下の式に表している。

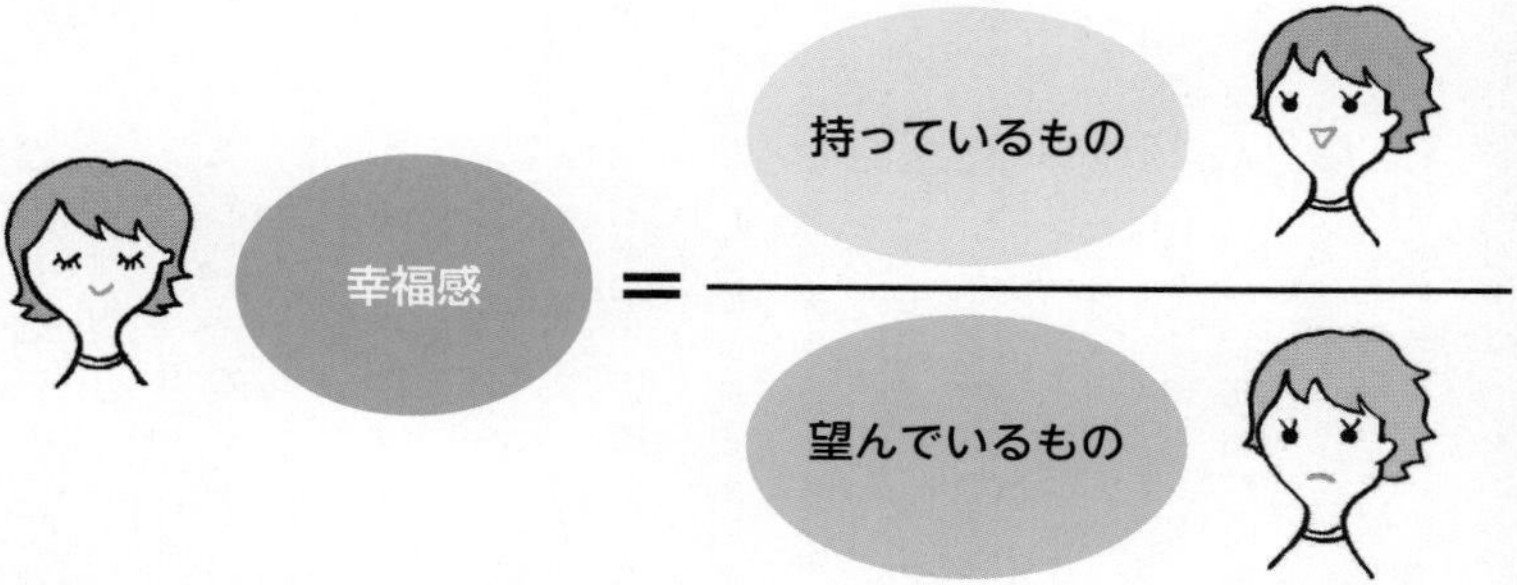

幸福感を高めるには？

人にやさしく	もちろん友人知人にもですが、特に知らない人に親切にして感謝されると幸福感が高まる。
ひとりでいない	「うさぎは寂しすぎると死んでしまう」という俗説がある。人間も、ひとりよりは家族や仲間と一緒に楽しく過ごすことで幸福感に満たされる。
誰かと比較しない	ほかの人にあって自分にはないものばかり見ていると、みじめになる。そもそも幸福な人は他人と自分を比較などしない。「足るを知る」人は、幸福感を感じる機会が多くなる。
1日の終わりを感謝で締めくくる	寝る前にその日1日を振り返って、1つでもいいので「いい気分」になったことを思い出そう。そのことに感謝することで、幸せな眠りにつくことができ、毎日幸福な気持ちで明日を迎えられる。
夢や目標を追い続ける	夢や目標、自分の理想に少しでも近づきたいと思って行動していると、充実した幸せな毎日を送れる。

悩み解消！

不満は不幸を呼び寄せる!?

周りの人間の欠点ばかりが目につくのは、自分のイライラが原因かもしれない。その上、他人の評価が低い人ほど、幸せを感じられない不幸体質なのだ。

気分がイライラしていると、会う人会う人、みんな欠点が目についてしまい、ますますいらだってしまうといったことがないでしょうか。心理学では、これを「気分一致効果」と呼んでいます。無意識のうちに、自分の気分と一致した情報を集めようとする傾向で、一言でいえば、**気分がいいときは物事のプラスの面が見えやすくなり、気分が悪いときは物事のマイナスの面が見えやすくなる**というものです。

たとえば、あなたの友人や同僚に対して、今日は悪い面ばかりに目がつくと思ったら、あなた自身がネガティブになっている可能性があります。逆に、今日は、友達や同僚が普段よりいい感じに見えていたら、それはあなたがポジティブな証拠です。

その意味では、他人の評価が、自分の気分や幸福感を測るバロメーターにもなるということです。

たとえばカナダの心理学者マーレーは他者の評価と幸福度に関する興味深い調査を行ってます。彼は82組のカップルを対象に、自分とそのパートナーに、点数をつけると何点になるのか質問しました。そして、自分よりもパートナーの方に高い点数をつけた人と、自分の方に高い点数をつけた人で比較したのです。その結果、**パートナーの方に高い点をつけた人は、今の自分に幸福感を感じやすく、自分に高い点をつけた人は、幸福感を感じにくい**ことがわかったのです。

周囲に不満な人は、自分のイライラを投影するだけでなく、幸福感をも感じにくい不幸体質といえます。

パートナーへの不満は不幸を呼ぶ!?

「自分に点数をつけるとしたら、何点つけますか？」
「あなたのパートナーには何点をつけますか？」

カナダの心理学者マーレーが、82組のカップルと夫婦を対象に上記のようなアンケートを行った。
マーレーのこの実験によると、自分よりパートナーに対して高い点数をつけた人（たとえば自分は 60点でパートナーは 90点など）は、「現在、自分は幸せだ」と思っているケースが多いことがわかった。一方、その逆にパートナーより自分への点数が高い人（自分は 80点だが相手は 50点）は、幸せを感じにくい傾向にあった。

自分は 60点
相手は 90点
→ 幸せを感じやすい

自分は 80点
相手は 50点
→ 幸せを感じにくい

これはパートナーに限らず、自分の周囲の人を見下す傾向にある人は、幸福感を感じにくい人だといえるだろう。他人の気に入らないところや短所ばかり見るのではなく、いいところを探そうとして人と接することが、幸せを感じるための第一歩なのだ。

↓

他人の良いところを探すことが、
自分の幸福感を高める第一歩

悩み解消！

不満やイライラから抜け出すには？

イライラや不満がつのると、精神的なバランスを崩すだけでなく、胃炎や頭痛など身体的な症状にまで発展する可能性がある。心理学を応用した気分転換の方法を紹介しよう。

嫌なことがあって不満やイライラにとらわれていては、精神的につらいばかりか、体まで不調を訴えるようになってしまいます。そこで、イライラを解消するための方法をいくつか紹介しましょう。

まず、つらい気持ちを忘れようとするのではなく、イライラや不満の原因となった出来事を詳細に日記に書いて、その出来事に対する感情をパーセンテージで記すことです。今日はイライラ度70％、寂しさ度30％といったように、全体で100％になるように書くのです。これを何日か続けると、イライラの原因となった出来事や不満をクヨクヨ考えていること自体がバカバカしくなる瞬間が、ある日やってきます。これは日記でなくても、自虐的に人に話すのも効果的です。要は**アウト・プットすることが大事**なのです。

また、過去の幸せな気分と結びついた行動をとることで、幸福な気分を呼び出してイライラを解消する技法があります。「**アンカリング**」と呼ばれるもので、もともとは「錨をおろす」ことを意味し、悪い感情を起こさせる刺激に対し、たとえば、胸に手を当てながら、**楽しかったときの感情を呼び起こして対処**します。

他には、上司や親などから叱られた時に、上手に受け流すためには、**モデリング**や**ペルソナ・ペインティング**といった手法があります。これは**誰かを強くイメージしてそのキャラクターになりきる**ことです。たとえば接客のプロやカウンセラーになりきり相手の愚痴や暴言に別人格として対処するわけです。

イライラ解消の方法例

感情の点数化日記

課長に叱られてつらい！

イライラや不満の原因となった出来事を、その出来事に対する感情のパーセンテージとともに書いていく。

日付	出来事	心を支配する決めつけ	決めつけへの反論	記録後の気持ち
○月×日	課長にきつく叱られた	**課長に評価されていないかも?** 不安（40%） 恥ずかしい（40%） いらだつ（20%）	**期待しているから叱られたのかも？** これだけで評価は決まらない（40%） 叱られたことはみんな忘れる（40%） 悪意はないはず（20%）	自分の仕事に集中すればいい
⋮	⋮	⋮	⋮	⋮

アンカリング

過去の幸せな気分と結びついた行動をとることで、幸福な気分を呼び出して、イライラを解消する技法。たとえば、胸に手を当てながら、友達と楽しかったときの感情を呼び起こして対処する。

いつも励ましてくれてありがとう！

モデリング／ペルソナ・ペインティング

誰かを強くイメージしてその人物やキャラクターになりきって別人格として対処する方法。たとえば接客のプロやカウンセラーになりきり、相手の愚痴や暴言に対処する。

コクン

悩み解消！

ストレスとうまく付き合おう！

ストレスとは、実は、環境適応のための防御反応。その要因となるストレッサーを取り除くか、ストレスと感じないよう、意識を変えて、うまく付き合うことが大事である。

「現代はストレス社会で、私たちは、ストレスから逃れられない」などとよく言われます。では、そもそもストレスとはなんなのでしょう。

カナダの生理学者セリエは、生物が外界から受ける刺激をストレッサーと呼び、ストレッサーによって生じた歪《ゆが》みに対する反応をストレスと呼んだのです。このストレッサーには、疲労や睡眠不足といった「生理的ストレッサー」や、暑さや寒さといった「物理的ストレッサー」、対人関係のトラブルや環境の変化など「社会的ストレッサー」の3つが考えられています。

こうしたストレッサーに対して、まずは副腎皮質ホルモンの分泌や、交感神経の興奮、体温、血圧の上昇や免疫系の抑制などのストレス反応が起きるのです。

さらに、その結果として食欲不振やイライラ、不眠などの症状が起きると考えられています。一般にはストレッサーとストレス反応（ストレス）を含めて「ストレス」と呼んでいますが、そもそもストレス反応自体は、環境適応のための防御反応だったのです。

ところが、強いストレッサーがかかり続けると、人は適応不全を起こして、神経性胃炎や過敏性腸症候群、神経症（218頁）やうつ病（220頁）などを発症することにもなるのです。

このストレス対策には、ストレッサーを除去するのが一番ですが、それが無理な場合は、ストレスを受け入れ、**ストレスだと感じないように認知を変えること**が有効だとされています。

ストレス反応の仕組み

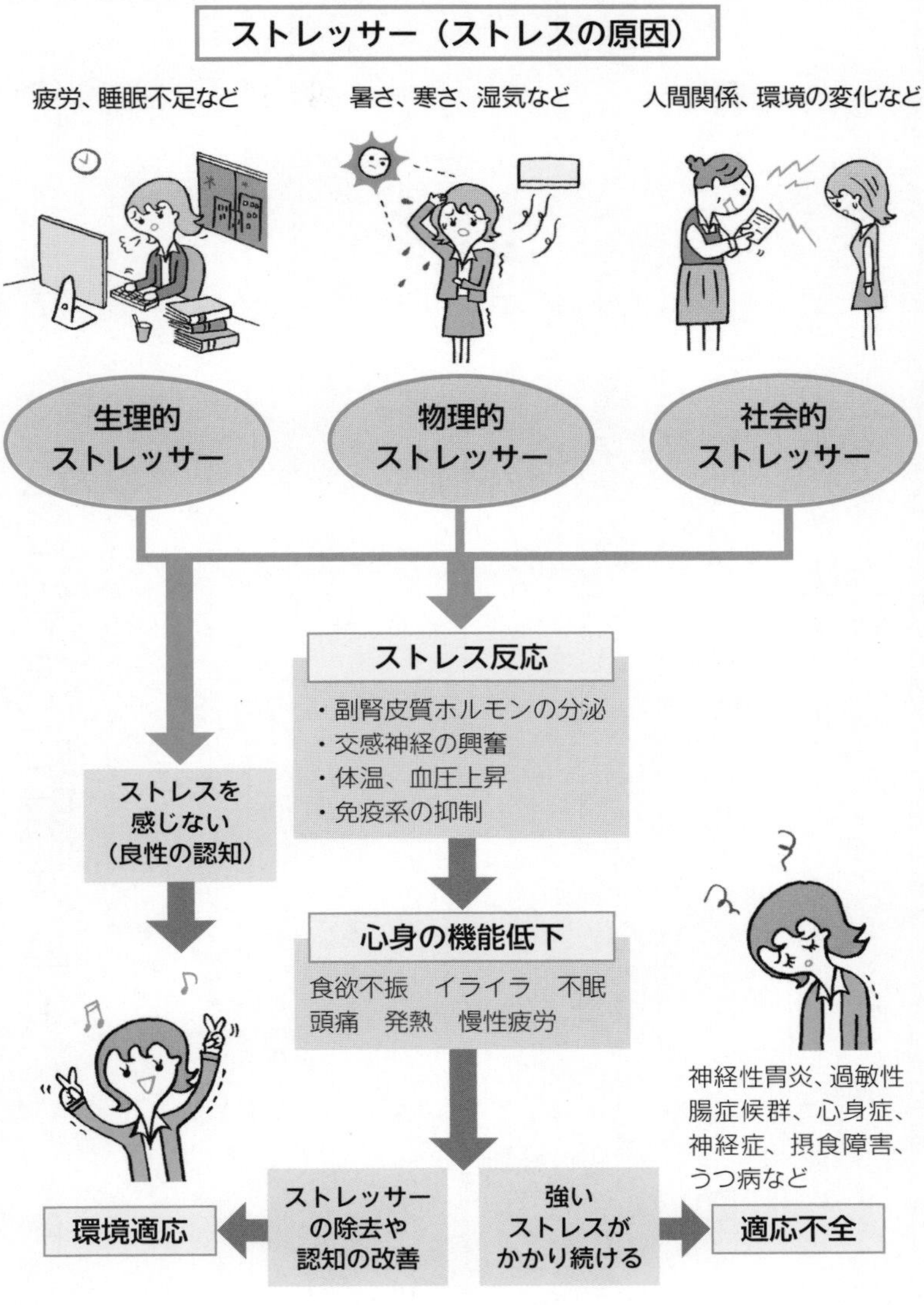
ストレッサー（ストレスの原因）
疲労、睡眠不足など
暑さ、寒さ、湿気など
人間関係、環境の変化など
生理的
ストレッサー
物理的
ストレッサー
社会的
ストレッサー
ストレス反応
・副腎皮質ホルモンの分泌
・交感神経の興奮
・体温、血圧上昇
・免疫系の抑制
ストレスを
感じない
（良性の認知）
心身の機能低下
食欲不振　イライラ　不眠
頭痛　発熱　慢性疲労
神経性胃炎、過敏性
腸症候群、心身症、
神経症、摂食障害、
うつ病など
環境適応
ストレッサー
の除去や
認知の改善
強い
ストレスが
かかり続ける
適応不全

悩み解消！

まじめな人ほど神経症に要注意！

かつてノイローゼと呼ばれた症状は、現在では、発症するメカニズムごとに「不安障害」「強迫性障害」「心気症」「離人症性障害」などに分類されている。

過度のストレスや精神的な疲労によって引き起こされる精神障害に、神経症、あるいは、ノイローゼと呼ばれてきたものがあります。

神経症とは、心の調整が取れなくなったときに発症するもので、精神障害ではなくて、ごく普通の人がかかるものです。特に、まじめすぎて自分を責めてしまう内省性の高い人や、こだわりが強く融通の利かない固執的な人、上昇志向が強く完璧主義の人、そして、よく気が利くが、繊細すぎて心配性の人がなりやすいと言われています。

かつてフロイトによって、神経症（ノイローゼ）と命名されましたが、その後の研究で、一括されていた様々な症状が、異なるメカニズムで発症していることがわかり、現在ではメカニズムごとに分類され、それぞれの障害名で呼ばれています。

たとえば、理由がわからないにもかかわらず、不安感にさいなまれる全般性不安障害などの「不安障害（236頁）」があります。

また、ばい菌などが心配で、何度も手を洗ったり、戸締まりが心配になって、何度も家に帰ったりする「強迫性障害（236頁）」があります。

そして、身体症状に過敏で、自分は病気だと信じ込んで不安になる「心気症」（238頁）や、自分が自分でない感じがして現実感を感じられない「離人症性障害」（240頁）なども、かつては全て神経症（ノイローゼ）と一括して呼ばれていたものなのです。

神経症（ノイローゼ）になりやすい人

神経症とは、精神障害ではなく、普通の人が過度のストレスや疲労によって引き起こされる。ノイローゼとも呼ばれていた。

内向的
内省的
まじめすぎて
自分を責めてしまう
執着し
やすい
こだわりが強く
融通が利かない
感受性
が強い
繊細で
よく気が利くが
心配性
向上心
が強い
完璧主義に
陥りやすい

神経症（ノイローゼ）と現代の障害名

かつて「神経症」と呼ばれていた症状は、今では下記の４つに分類され、それぞれの障害名で呼ばれている。

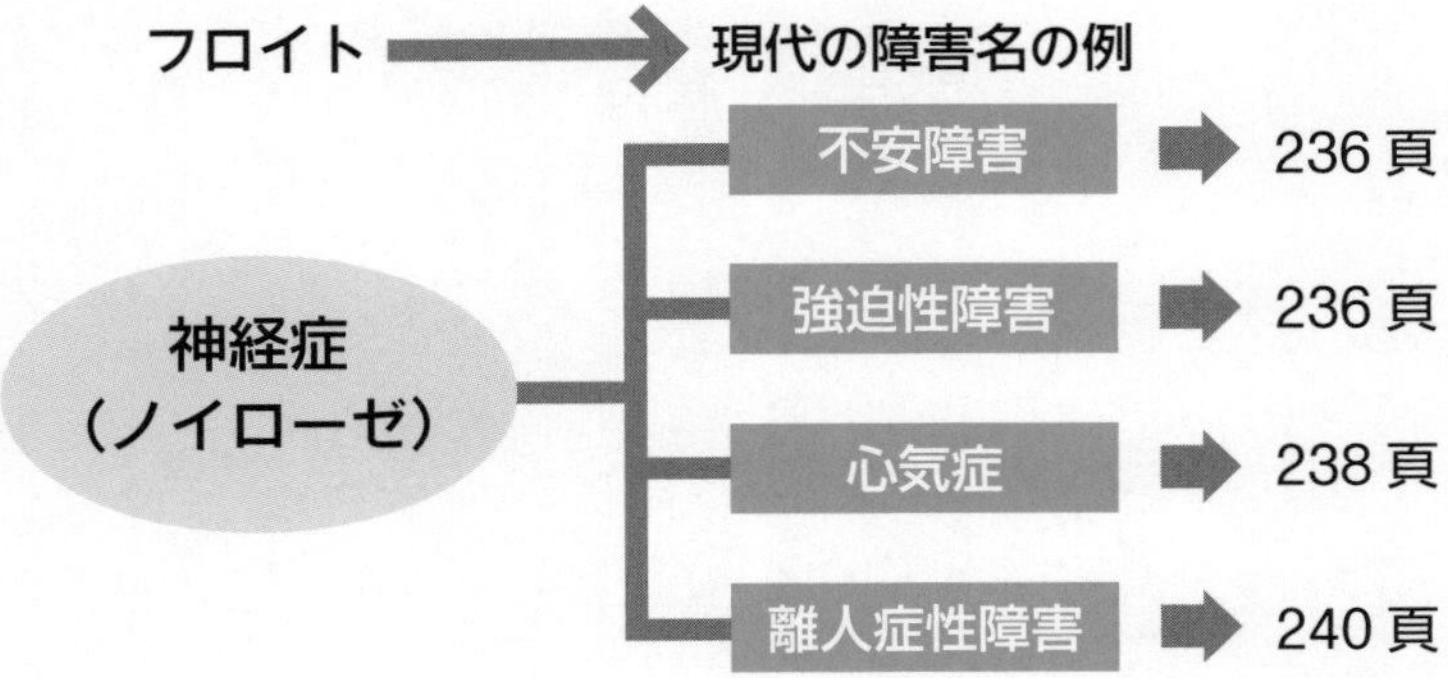
フロイト
現代の障害名の例
神経症
（ノイローゼ）
不安障害
236 頁
強迫性障害
236 頁
心気症
238 頁
離人症性障害
240 頁

悩み解消！

15人に1人がかかるうつ病

我が国の自殺者の中で原因が判明しているうちの3分の1が「うつ」だと言われている。気分が落ち込み、自殺念慮が起こってくるからだが、最近では薬物治療などで治癒《ちゆ》も可能だ。

かつて、「うつ病」や「躁《そう》うつ病」は、「気分障害」としてまとめて語られていました。しかし、現在では、うつ症状だけの「うつ病性障害」と「躁」と「うつ」とがくり返す「双極性障害」とは、全く違う独立の病状だと考えられるようになっています（左図）。

一般に「うつ」と呼ばれているのは、「大うつ病性障害」のことで、気分が落ち込み、全てのことに興味や関心が湧かず、集中力が低下します。自責の念や罪悪感が強くなって、自殺をしたいという強い考え（自殺念慮）が浮かんでくることもあります。疲れやすく、食欲が減退して、睡眠過多や不眠になり、特に、朝方に憂鬱《ゆううつ》感に襲われて、夕方からは軽減するという日内変動が認められます。

特に、「うつ」になりやすい人は、几帳面《きちょうめん》で完全主義、責任感が強く、人に対して過剰に気配りをします。また、親しい人の死や失業といった、なんらかの喪失体験があると発症しやすいようです。珍しい病気ではなく、１００人中約６人、**15人に1人の割合で発症**しています。最近では薬物治療がかなり進んでいて、うつ病かもしれないと思ったら早めに受診しましょう。

一方、「双極性障害」は、憂鬱で無気力な状態と、活動的で高揚した状態をくり返すものです。**かつては「躁うつ病」と呼ばれ「うつ」の一種だと誤解されてきました。**そのため同じ気分障害に分類されていたのですが、遺伝子的にも統合失調症と共通因子が見いだされ**今は別の病気とされています**（ＤＳＭ-５以降）。

うつ病と躁うつ病の分離

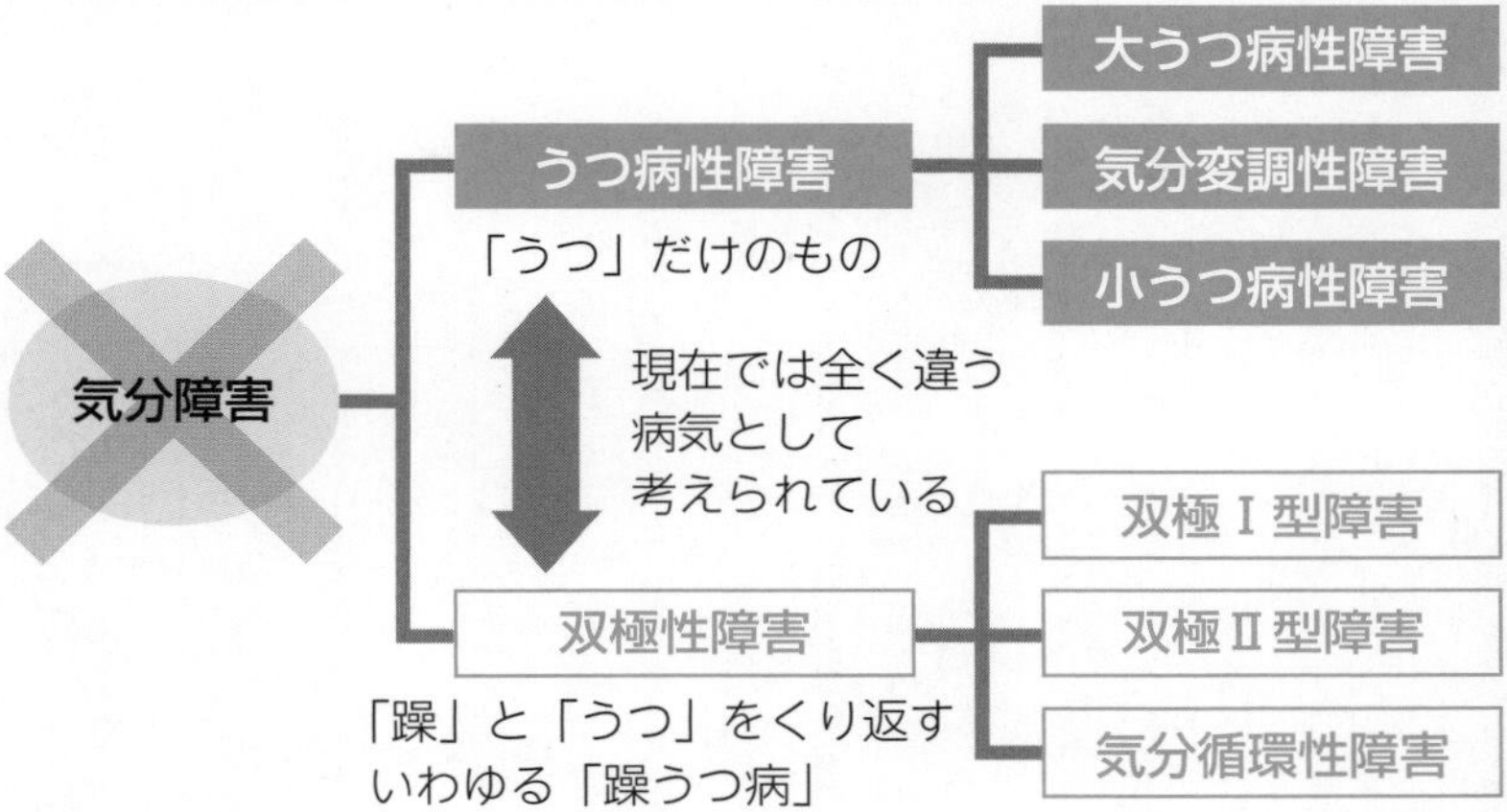
気分障害
うつ病性障害
「うつ」だけのもの
大うつ病性障害
気分変調性障害
小うつ病性障害
現在では全く違う
病気として
考えられている
双極性障害
「躁」と「うつ」をくり返す
いわゆる「躁うつ病」
双極Ⅰ型障害
双極Ⅱ型障害
気分循環性障害

うつ病の症状

気分が憂鬱
疲れやすい
興味・関心
の喪失
日内変動
意欲・集中力
の減退
食欲障害
自責感・罪悪感
睡眠障害
自殺念慮
肉体的症状
精神的症状

悩み解消！

もしかして新型うつ病では？

最近、従来のうつ病とは全く違う症状のうつ病が発生している。独善的で他罰的になるため身近な人にまで、わがままや詐病だと思われて、よりつらい状況に追い込まれる人も多い。

うつ病かどうかを判断するには、ＣＥＳ－Ｄ（うつ病自己評価尺度）と言う左図のような質問票があるので、最近、気分が落ち込んでいると思ったら、チェックすることをおすすめします。「うつ」になりやすい人は、几帳面で責任感が強く、人に対して過剰に気配りをする人で、最近、家族の不幸などがあった場合は特に注意した方がいいでしょう。

しかし、こうしたうつ病の常識をくつがえす、「**新型うつ**」（非定型うつ病）と言うものが近年話題となっています。従来のうつ病であれば、やる気は失せて、不眠になり、食欲も低下、家人に心配をかけまいと、眠れなくても、ひとり苦悩するといった症状で、口数も少なくなり、自分からはうつ病の広言を控えます。

ところが「新型うつ」では、気配りなどは全くなく、問題があるとすべて**他人や家人のせいにして責めます。**眠れないどころか、**眠る時間が以前より長くなり、食事も過食ぎみになります。しかも、うつ病であることを広言してはばからず、仕事や嫌なことから解放されると、急に元気になって普通の人と同じように遊びに夢中になれる**のです。

逃避型うつ病、ディスチミア型うつ病とも呼ばれ、周りの人からは、わがままや詐病ではないかと疑われることが多いのです。また、本人はつらい思いをして悩んでいるのに、病状と思われないで、以前と違って嫌みで、独善的な性格になったと思われて孤立し、より病状が悪化することにもなります。

あなたはうつ病予備軍？

次に紹介するのは「うつ病自己評価尺度」の一部である。
あてはまるものはいくつあるだろうか。

- □ 何をするにも億劫《おっくう》・面倒くさい
- □ 物事に集中できない
- □ なかなか眠れない
- □ 何か恐ろしい気持ちがする
- □ いつもより口数が少ない
- □ 家族や友達から励まされても気が晴れない

2つ以上あてはまるようであれば、要注意。ストレスがたまり始めている。普段の生活を振り返ってみて、ストレスの原因となっていることを避け、できるだけ気分転換をはかるようにしよう。

新型うつ（非定型うつ病）とは？

責任が生じることは
したくない

何でも
人のせいにする

自分がうつ病だと
アピールする

仕事などは憂鬱で
嫌だけど、好きな
ことは積極的にやれる

気分の浮き沈み
が激しい

過食気味で体重が
増えてきている

夕方から夜にかけて
具合が悪くなる

何時間寝ても
寝足りない気がする

悩み解消！

燃え尽き症候群にならないために

会社の命令で頑張ってきたのに、評価が低いと何のためにやってきたのかわからなくなってしまう。いわゆる「燃え尽き症候群」を防止するには自分なりの目標が必要だ。

大きなプロジェクトを任されて、頑張っていたのに、期待した結果が得られず、やる気を失って結局辞職したといった話をよく聞きます。

アメリカの心理学者フロイデンバーガーはこうした人たちのことを「バーンアウト・シンドローム」と名づけました。日本語では「燃え尽き症候群」や「荷降ろし症候群」と呼ばれるもので、会社や親に言われて義務感から頑張った仕事や学業が、成果を上げられないと、何のためにやったのかもわからなくなり、やる気を失って無気力状態になるものです。

会社員の場合なら、不満がつのり、やる気も失せて、出社を拒否するようになり、最悪の場合、突然の辞職や自殺に至る場合もあります。そうでなくても、睡眠障害やうつ病、さらには、糖尿病や心臓発作などを起こしやすく、過労死や突然死を招いているケースも想像されます。一方、学生が入学後に陥る五月病なども、この燃え尽き症候群の1つだと考えられています。

どちらも、会社や親に言われたことに必死で取り組んできたのに、思うように力を発揮できず、評価が低いと、人生の目標を見失ってしまうのです。したがって、**義務感ではなく、自分で目的を持って取り組むこと、仕事と生活のバランスを考えることが大事**です。

また、子育てに専念していた主婦が、子どもが独立した後、人生の目標を失って無気力になるのを「空の巣症候群」と呼びますが、こちらも、**自分の人生に自分なりの目的を見いだすことが予防になります。**

燃え尽き、荷降ろし、空の巣症候群

燃え尽き症候群

主な症状	無気力状態、出社拒否など
原因	頑張っているにもかかわらず、ノルマを達成できない徒労感など
特徴	会社のために一生懸命働いている、まじめで律義な 40 ～ 50 代の男性に多い

部長になったは
いいが....

荷降ろし症候群

主な症状	意欲や活力の喪失、無気力状態
原因	目標達成後や重責のある仕事からの解放などによる喪失感
特徴	大きなプロジェクトを終えた後などにかかりやすい。新たな目標設定をすることで解消する

プロジェクトが
やっと終った....

空の巣症候群

主な症状	やる気が起きない、自信喪失、虚無感など
原因	子どもの独立で、生きがいだった子育てがなくなり、心の張り合いをなくす
特徴	子どもが自立し、夫は家庭より仕事優先なため孤独を感じている 40 ～ 50 代の女性に多い

Column 9

最近注目のアドラー心理学

最近、日本では、アドラー心理学が注目されているようです。アドラーは当初、ウィーンで眼科医として、後に内科医として開業していたのですが、フロイトの著書『夢判断』を読んで精神医学に目覚め、フロイトが主宰するウィーン精神分析協会の重鎮になります。しかし、フロイトの性欲論を認めず、リビドーに代わって「劣等感」を主張した彼は、やがてフロイトと決別しました。

アドラーの個人心理学（インディビジュアル・サイコロジー）は、人は１つのまとまりで分割できない（“イン”ディビジュアル）と説き、意識や無意識、理性や感情なども相補的で分割不可能とします。また、フロイトが考えたトラウマも存在せず、なぜ、こうなったか「原因」に悩むより、何のためにこうした行動をとるのか、「目的」を理解しようとします。さらに、全ての悩みは人との関係に由来するとして対人関係を重視し、人生の主人公である自分が、過去の出来事に決定されることなく、「劣等コンプレックス」をバネに、自身の課題に専心し、共同体の一員であることを意識しながら、生きていけと言います。過去にとらわれず「今」を生きる哲学として、アドラーから学べることは大きいでしょう。

しかし、ちょっと考えてほしいのです。誰が「劣等コンプレックス」を測定し数値化したと言うのでしょう。実は、アドラーやフロイト、ユングらが、「心」を研究していた時代は、心理学が誕生したばかりで、「科学」の体裁を整えていませんでした。反論を恐れずに言いますが、もはや彼らの主張は、厳密な意味での心理学研究とは分けて考えるべきだと私は考えています。

Chapter

9

心の闇の心理学

〔様々な障害〕

大人の発達障害とは?

発達障害と聞くと、幼い子どもの問題だと思いがちだが、知的発達に遅延がないと、大人になってから、障害に気づく例も多い。周囲の理解と適切な支援が必要だ。

発達障害は、主に、先天性の脳機能障害が原因で起こる発達の遅れのことです。精神障害や知能障害をともなう場合もあります。普通は、乳幼児期に診断されることが多く、先天性の機能障害なので、障害は一生残ることになります。ただし、先天性なので一生発達しないというのは偏見で、障害はあっても人間は、少しずつ成長していくもので、成長とともに改善していく課題もあるのです。

具体的には、「自閉症、アスペルガー症候群その他の広汎性発達障害、学習障害、注意欠陥多動性障害その他これに類する脳機能の障害であってその症状が通常低年齢において発現するもの」と発達障害者支援法は定義づけています。

ところが、知的な発達の遅れがないため、大学生や社会人になるまで気づかれず、**大人になってから発達障害だと診断されるケースが増えています。**一部で「軽度発達障害」と呼ばれてきましたが、障害自体が軽度と誤解される可能性があり、最近では「軽度」と言う言葉は、あまり使われなくなってきています。

知的発達遅延がないため、ちょっと「変わった子」と思われて、障害に応じた対応や配慮を受けてこない場合も多く、それでも義務教育期間は、どうにかやっていけるのですが、進学や、会社に就職してから、つまずいてしまう人が多いのです。周囲からの誤解や不適切な対応によって、不登校、出社拒否、ひきこもり、うつ状態などに陥る場合もあり周囲の理解が必要です。

大人のADHD（注意欠陥多動性障害）の特徴

- 詰めが甘くて仕上げることができない
- 物事を計画的に順序だててできない
- 約束や用事を忘れてすっぽかすことが多い
- じっくり考える課題が苦手で避ける
- 長時間座っているとモゾモゾしだす
- 何かに駆り立てられ、せずにはいられなくなる

↓

- 対人関係がうまくいかない
- 周囲の空気が読めず孤立しやすい
- 周囲から性格上の問題だと思われる
- 仕事に就けないか、続かない

拒食も過食も同じ摂食障害！

食べることを控えて極度に痩《や》せてしまう拒食症も、食欲を抑えられず大量に食べてしまう過食症も、実は同じ摂食障害と言う精神疾患で、拒食症は死に至ることもある病だ。

どうみても痩せすぎなのに、「私太っているから、今ダイエット中なの」と言って極端な食事制限を続けている人がいます。最初は異性の目を気にして始めたダイエットですが、ダイエットすること自体が目的化して、より理想的なスタイルになりたいと頑張る人もいます。しかし、貧血や生理不順で体が悲鳴をあげていても、過激なダイエットがやめられないとすると、「摂食障害」のうち「拒食症」と呼ばれる精神疾患の一種かもしれません。

そもそも「**摂食障害**」は、食べることを控えて極度に痩せてしまう「**拒食症**（神経性無食欲症）」と食欲を抑えられず大量に食べてしまう「**過食症**（神経性大食症）」に分けられます。この両者は、全く正反対のように思えますが、実は、拒食症の反動から過食に走るケースが3分の1程度もあり、さらに、どちらにも、「肥満恐怖」や「極度の痩せ願望」がみられることから、**同一の精神疾患の異なるステージだと考えられています。**しかも、過食症と聞くと、太っている人を想像しますが、大量の下剤や喉に指を入れて吐くなど「代償行動」が伴い、人より痩せていても過食症の場合があるのです。

拒食症は、別名「思春期痩せ症」と言われるように、思春期から20代に多く、精神的ストレスやダイエットが引き金になって発症。食べることに強い罪悪感を抱くようになり、低体重になってもやめられず死に至ることもあるので、家族は注意すべきです。

摂食障害とは？

拒食症（神経性無食欲症）

ストレスやダイエットがきっかけでなりやすいのが拒食症。ダイエットのために無理な食事制限や断食をくり返した結果、体が食べ物を受けつけなくなり、栄養失調、低体温、無月経などになってしまう。平均体重より15～20%低いと拒食症と診断される。この拒食と過食をくり返すケースもある。

過食症（神経性大食症）

ストレスを発散するために大量に食べ続け、嘔《おう》吐《と》してまで食べるのが過食症。嘔吐してさらに食べ続けるなど過食と嘔吐をくり返す場合と、過食だけを続ける場合とがある。低体温、無月経などのほか、くり返される嘔吐のため、胃酸で歯がボロボロになってしまう人もいる。

これら摂食障害になりやすい人は、次のようなタイプ。

- **思春期の10～20代の女性**
- **周りの目を気にする「よい子」**
- **まじめで完璧主義**
- **「太りすぎではないか」など、外見にコンプレックスがある**
- **自尊心が低い**

様々な障害

リスカ、アムカ、自傷行為の心理

自分の体を自分で傷つける自傷行為。自殺願望にも見える行為だが、実は、精神的なストレスの解消が目的の場合が多い。しかし、くり返すうちに死のリスクを高めてしまう。

「リスカ」や「アムカ」といった言葉を聞いたことがないでしょうか。「リスカ」は「リストカット」でカッターナイフなどで手首を切ること、「アムカ」は「アームカット」で腕を切ることです。近年、若者の間で増えている「自傷行為」です。

そのほかにも、足を切る（レッグカット）、壁に頭をぶつける、壁を殴ったり、蹴ったりする、自分の手や腕をかむ、ライターで皮膚を焼くなどの自傷行為が知られています。また、うつ病（220頁）や摂食障害（230頁）、自閉症やアスペルガー症候群などの発達障害（228頁）、薬物乱用者などにも多く見られます。

自傷行為は、悲しみや怒り、孤独感や孤立感、不安や緊張などに襲われたときに、精神的なストレスを解消するために行われると考えられています。

なぜか自傷行為の際は、痛みをほとんど感じないようで、ドーパミンの分泌《ぶんぴ》や解離《かいり》状態になっているからだと考える者もいます。

いずれにしても、**自傷行為はストレス解消の行為**で、自分を傷つけることで、生きている実感を感じるためにもくり返されます。しかし、くり返せばくり返すほど、効果は急速に薄れていくため、さらにエスカレートしていきます。いわば、生きるための行為で、自殺は意図していないのですが、致命的な自傷行為による死や自殺願望に発展することもあり、**自殺死のリスクが50～100倍にも高まるとする説もあり、注意が必要です。**

様々な自傷行為

自傷行為には次のような様々な種類があるが、常習化すると徐々にエスカレートする危険性がある。

- 手首を切るリストカット（リスカ）
- 腕を切るアームカット（アムカ）
- 足を切るレッグカット
- 壁に頭をぶつける
- 手足をかむ
- 壁を殴る蹴るなどして手足を傷める
- ライターやタバコなどで皮膚を焼く

悲しみや怒り、孤独感や孤立感、不安や緊張など精神的ストレスを解消するために自傷行為に至るケースがほとんどである。自傷行為中に痛みを感じない人も多く、自分でやったかどうかわからないような人もいる。

様々な障害

自殺が多いのは50代

中年期は、ユングが「人生の正午」と呼んだように、人生の折り返し地点であり、様々な変化が起こってくる。人生の見直しと価値観の転換が必要な時期でもあるのだ。

かつて心理学者のユングは、40歳前後を太陽の運行にたとえて、「**人生の正午**」と呼びました。正午を境に日の光と影の方向が反転するように、光のあたる価値観もこれ以降変わると言うのです。心理学者のレヴィンソンも40歳前後を「人生の半ばの過渡期」として前半生を問い直し再評価するときだとしています。

いずれも人生の折り返し地点を強く意識したものですが、実際、40～50代は、働き盛りで、職場や地域社会の中でも中核を担う世代のはずですが、「**中年期クライシス**」と呼ばれる様々な危機に陥りやすいのも事実です。

たとえば、身体的変化としては、体力や気力が衰え、白髪やしわなどの老化も始まってきます。更年期障害や性的機能の低下も中年期から始まります。また職場での変化も起こってきます。新しい技術や職能への対応が難しくなり、昇進や転勤など良い悪いにかかわらずストレスとなるのです。さらに子どもの受験や自立、親の介護が始まる場合もあるでしょう。仕事人間であればあるほど、家族とのすれ違いも起きてきます。

こうして出社拒否や帰宅拒否、不眠、頭痛、下痢などの症状や、女性の場合は子どもが巣立ったあとの空虚感を感じる「空の巣症候群」（224頁）などが発症し、うつ病や自殺に至ることもあるのです。

中年期は、ユングやレヴィンソンが語るように、**人生の見直しと価値観を転換する新たなアイデンティティの模索が必要な時期**なのです。

中年期は「人生の正午」、人生の折り返し地点

- 中年期は働き盛りの世代
- 職場や地域社会で中核を担う
- 人生の前半と後半の折り返し地点
- ユングは、40歳前後を太陽の運行にたとえ、「人生の正午」と呼んだ
- エリクソンの８段階説では、30代後半から 60代前半の成人後期にあたる

中年期の危機

中年期には様々な変化により心理的な危機に陥りやすい。

身体的な変化

- 体力の衰え
- 容姿の老化
- 病気の発症
- 更年期障害
- 性的機能の低下

職場での変化

- 昇進や挫折など仕事上の変化
- 新たな技術や職能への対応
- 仕事での限界を認識

家族関係の変化

- 子どもの自立
- 親としての役割の減少
- 親の介護
- 夫婦間のすれ違い

思考や考え方の変化

- 新しいことに即応できない
- 考え方が保守的になる
- 柔軟な思考ができなくなる
- かつての成功体験に固執する

出社拒否、帰宅拒否、不眠、頭痛、下痢、うつ病、空の巣症候群、自殺

↓

新たなアイデンティティの構築が不可欠

様々な不安障害

不安感が症状の中心となる「不安障害」には、体に異常がないのに、動悸《どうき》やめまいがして発作が起こるパニック障害や、同じ行為をくり返す強迫性障害、PTSDなどがある。

不安感が異常に増大し、日常生活にも支障をきたす人がいます。そういう人は、たとえば、家の戸締まりをしたかどうかが気になって何十回も引き返したり、ばい菌が心配で何度も何度も手を洗ったりします。

こうした**不安感が症状の中心となる精神障害を「不安障害」と呼んでいます。**「不安障害」にはさまざまなものがあり、たとえば、体に異常はないのに、突然、動悸やめまいがして発作が起こる「パニック障害」があります。何かに焦ってパニックになるパニック発作（70頁）は珍しくなく多くの人が経験していますが、また起こるのではないかと予期不安が生じ、電車や人混みを避けるようになると「パニック障害」と診断されます。また特定の刺激に対して恐怖を抱き、回避しようとして発症するのが「恐怖症性不安障害」です。なかでもパニック障害の2次障害として広場や逃げられない場所が怖くなり外出できない「広場恐怖」や、対人恐怖症として知られる「社会恐怖」、ヘビやクモなどへの「特定の恐怖症」が挙げられます。

他にもこれとは反対に、理由が不明のまま、様々な出来事に対して不安感が長期に続く「全般性不安障害」と言うのもあります。また、冒頭の戸締まりの話のように、ある考えがくり返して浮かび、同じ行為を何度もくり返す「強迫性障害」。さらに、災害や事故、犯罪被害などにより、そのショックが心の傷（トラウマ）となって不安を引き起こす「PTSD」（心的外傷後ストレス障害）も「不安障害」の1つとされます。

様々な不安障害

パニック障害

体に異常はないのに、突然、動悸やめまいがして10分以内に発作が起こり、30分から1時間以内に収まる。

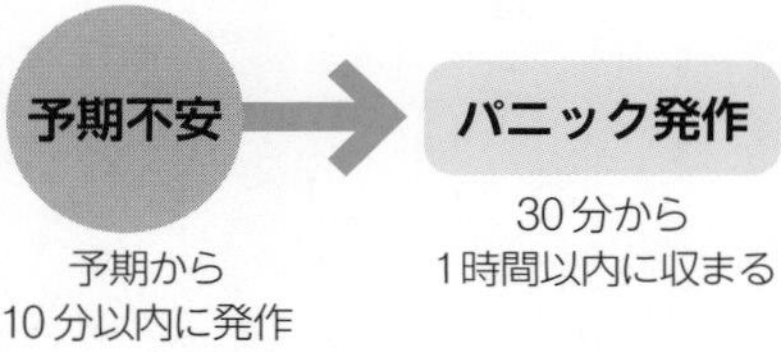
予期不安
パニック発作
予期から
10分以内に発作
30分から
1時間以内に収まる

閉塞感
めまい
発汗
動悸

全般性不安障害

理由が明確でないまま、様々な出来事に対して不安感が長期に続く。

恐怖症性不安障害

特定の刺激や状況に対して恐怖感を抱き回避しようとする。

社会恐怖（対人恐怖症）

人に接することに対して恐怖を感じる・視線恐怖や赤面恐怖、スピーチ恐怖などがある。

特定の恐怖症

クモやヘビ、雷や注射など特定のものを怖がる。

広場恐怖

雑踏や逃げ場のない場所などが怖くなり外出できなくなる。

PTSD（心的外傷後ストレス障害）

災害や事故、犯罪被害などにより、そのショックが心の傷（トラウマ）となって不安を引き起こすもの。

強迫性障害

ある考えがくり返して浮かび、強い不安が生じる強迫観念によって、同じ行為を何度もくり返す強迫行為を行う。例として、電車の吊り革を触れないような不潔強迫や、鍵のかけ忘れが気になって何度も戻ってしまうような確認強迫など。

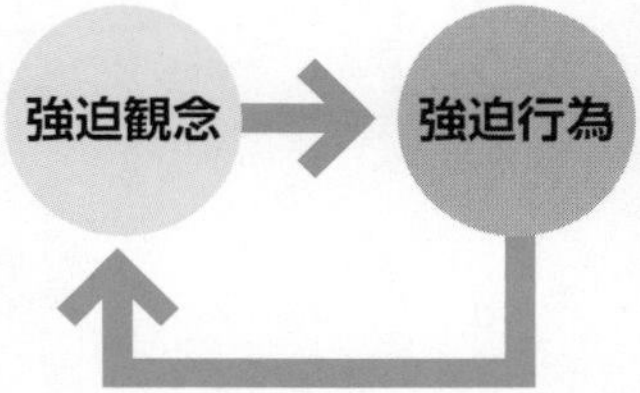
強迫観念
強迫行為

様々な障害

体の症状も心から

体には何の異常もないのに、歩けなくなったり、目が見えなくなったりすることがある。心理学で言う「転換性障害」で、かつては「転換性ヒステリー」と呼ばれていたものだ。

「ヒステリー」と聞くと、すぐに逆上する人のことだと思っていないでしょうか。これは慣用的な使い方で、かつて、フロイトが研究対象としていたのも「ヒステリー」の患者だったのです。

実は、心理学で言うヒステリーとは、精神症のうち、転換ヒステリーと解離性ヒステリーを主とする精神疾患のことなのです。現在では、前者の転換ヒステリーを、「転換性障害」と呼んでいます。**身体的には全く異常が見当たらないのに、歩けなくなったり、視力や声を失ったり、運動麻痺《まひ》や感覚麻痺を起こす**もので、『アルプスの少女ハイジ』に登場するクララも「転換性障害」ではないかと考えられています。

同様に、体の不調を訴えていても、医学的に原因は見つからず、身体的疾患として説明できない心因性の障害が存在しています。頭痛やめまいなどの体の不調を訴えますが、内科的には異常がない「身体化障害」もその1つで、「身体症状症」の一種とされます。

また、つねに自分は病気ではないかと疑って不安になる「心気症」（ヒポコンデリー）や、体に疼《うず》くような痛みを感じているが、異常が見つからない「疼痛《とうつう》性障害」といったものもあります。

ちなみに、自分の容姿が醜いと思いこみ、他人を避けたり、整形手術をくり返したりする人が知られていますが、これは、「身体醜形《しゅうけい》障害」と言われるもので、かつては身体症状の仲間だと考えられていましたが、現在では強迫性の障害だと考えられています。

身体症状症および関連症群（身体表現性障害）

- **体の苦痛を訴えていても、医学的に原因は見つからず、身体的疾患として説明できない心因性の障害のこと。**
- **かつては「身体表現性障害」と呼ばれていたが、最新の「精神障害の診断と統計マニュアル（DSM－5）」では、「身体症状症および関連症群」と呼び名が変わった。**

転換性障害

身体的には異常が見当たらないにもかかわらず、歩けなくなったり、視力や声を失ったり、運動麻痺や感覚麻痺を起こす。

身体化障害

30歳以前に発症し、頭痛やめまい、はきけ、腹痛、疲労感など体の不調を数年間にわたって訴えるが、内科的には異常が見つからない。

心気症

ヒポコンデリーとも呼ばれ、身体症状や機能に対して過敏で、つねに自分は病気ではないかと疑って不安になる。

疼痛性障害

体に疼くような痛みを感じているが、内科的にも外科的にも、異常が見つからない。

身体醜形障害

自分の容姿が醜いと思いこみ、他人を避けたり、抑うつ的になったりする。思春期に発症することが多く、鏡を見ることができなくなったり、くり返し整形手術を受ける人もいる。

様々な障害

多重人格から放浪まである解離性障害

サスペンスドラマや映画に登場する二重人格は、心理学で言う「解離性障害」の1つで、「解離性同一性障害」のこと。複数の人格を交代させることで自分を守ろうとしているのだ。

かつて神経症の「ヒステリー」の中で、「解離性ヒステリー」と呼ばれていたものがあります。現在では、「解離性障害」と呼ばれていますが、ここで言う解離とは、**その人の記憶や思考といった人格上のまとまりの間に障壁ができて、その部分が離れてしまっている状態**を指しています。

たとえば、衝撃的な体験やストレスが原因となって、ある一定期間、あるいは、すべての記憶を忘れてしまうことがあるのです。これが、「解離性健忘《けんぼう》」と言うもので、やがて、記憶を回復する場合が多いのです。

また、突如、家族や仕事から逃げ出し、放浪生活を行い、自分の過去の記憶の一部、あるいは全てを喪失してしまう「解離性遁走《とんそう》」と言うのもあります。

さらに、自分が自分の体から遊離して、一体性を失ったように感じるようになるのが、「離人症性障害」です。現実感がないといったものから、傍観者として自分を見ているように感じることもあると言います。

こうした「解離性障害」の中で、最もよく知られているのが、「解離性同一性障害」でしょう。「多重人格障害」と言われるもので、１人の人間の中に、２人以上の独立した人格が存在している状態です。これは、**複数の人格を作り上げ、人格を交代させることで、心を守ろうとしている**のです。その多くがＰＴＳＤを併発し、幼児期における身体的、精神的、性的虐待《ぎゃくたい》経験があることから、その発症は、トラウマ（心的外傷）が原因だと考えられています。

解離性障害とは

- **かつての名称は、神経症（ノイローゼ）の1つ「解離性ヒステリー」。**
- **その人の記憶や思考といった人格上のまとまりの間に障壁ができて、その部分が解離してしまう状態。**
- **解離とは、そもそも、トラウマ（心の傷）を処理する心の防衛機制で、何らかのトラウマ体験が原因だと考えられている。**

様々な解離性障害

解離性健忘

衝撃的な体験やストレスが原因となって、ある一定期間、あるいは、全ての記憶を忘れてしまう。やがて記憶を回復する場合が多い。

解離性遁走

突如、家族や仕事から逃げ出し、放浪生活を行い、自分の過去の記憶の一部、あるいは全てを喪失してしまう。

解離性同一性障害

「多重人格障害」とも言われ、1人の人間の中に、2人以上の独立した人格が存在している状態。主人格とは別の人格を作り上げることで、人格を交代して心を守ろうとする。主人格も交代人格の1つで、必ずしも本当の自分とは限らない。幼児期における性的虐待経験を持つものが多いと言われている。

離人症性障害

自分が自己の体から遊離して、一体性を失ったように感じる。現実感がないといったものから、傍観者として自分を見ているような体験まである。

問題行動を起こすパーソナリティ障害

「パーソナリティ障害」の人は、性格が偏りすぎていて、社会適応が難しく、周囲の人にも迷惑をかける。本人も生きづらく、他の精神疾患とも親和性が高く問題行動を起こしやすい。

一般的な人たちに比べて考え方や行動が偏っているため、結果として社会生活や人間関係が難しくなってしまうのが「パーソナリティ障害」の人たちです。ドイツの精神病理学者シュナイダーは、**「性格の偏りのために、自分も苦しみ、周囲も苦しむことになる」**と表現しましたが、まさに、そのパーソナリティゆえに、周囲との軋轢《あつれき》を生みだしてしまうのです。

その症状は、感情の幅や強さ、対人関係や衝動性、考え方などを基準に分類すると、奇妙な信念や習慣を持ち、統合失調症に親和性が高いA群と、情緒や感情が激しく奔放《ほんぽう》な行動や態度を取り、従来の境界例概念と親和性が高いB群、そして、対人関係に自信がなく不安や恐怖心を持ち、従来の神経症概念と親和性の高いC群に分けられます（左図）。

A群には、猜《さい》疑《ぎ》心が強く他人を疑う「妄想性」や、喜怒哀楽に乏しく自閉的な「統合失調質」、奇妙な空想にふける「統合失調型」に分かれます。また、B群は、違法行為を繰り返す「反社会性」、感情が不安定な「境界性」、芝居がかった演技をする「演技性」、自分は優秀だと尊大な態度を取る「自己愛性」に分かれます。そして、最後のC群は批判を恐れてひきこもる「回避性」、他人にしがみつく「依存性」、完全主義で失敗する「強迫性」に分類されています。

成人になる頃までに兆候が表れ、対人関係に問題を起こします。人生を楽しめず、いわば生きづらい原因の中心に、そのパーソナリティがあるといえます。

パーソナリティ障害の分類

パーソナリティ障害

人格の著しい偏りから社会生活に不適応をきたす。
DSM-5では、パーソナリティ障害を以下のように10種類に分類。

グループ	種類	特徴
A群 妄想をいだきやすく 奇妙な行動を とりやすい 	**妄想性 パーソナリティ 障害**	猜疑心が強く、周囲の人間が自分をダマしているのではないかと根拠もなく疑う。嫉妬心が強く、自分に対する攻撃や侮辱に過敏に反応。
	統合失調質 パーソナリティ 障害	他人や社会に無関心でひきこもりがち。人と交流しようとせず、感情表現に乏しい。
	統合失調型 パーソナリティ 障害	霊感や魔術のような非現実的な迷信・妄想に固執し、疑り深く不安や恐怖を抱え込んでいる。
B群 感情の混乱が 激しくて情緒的である 	**反社会性 パーソナリティ 障害**	他人の気持ちや権利に無関心で、自己中心的。自分の利益のためなら、平気でウソをつき、社会規範や法を犯すこともいとわない。
	境界性 パーソナリティ 障害	対人関係や自己の感情が不安定。自殺や自傷などの自己破壊行動を衝動的にとることがある。
	演技性 パーソナリティ 障害	周囲の注目を集めようと派手で芝居がかった言動をとる。
	自己愛性 パーソナリティ 障害	プライドが高く、自分のことにしか関心がない。自身が特別な存在であるという特権意識をいだき、他人を不当に利用しようとする。
C群 対人関係に 不安や恐怖を いだきやすい 	**回避性 パーソナリティ 障害**	強い劣等感をいだき、傷つくことを過剰に恐れる。他人からの非難や反対、侮辱を受けることを恐れ、人との交流を避けようとする。
	依存性 パーソナリティ 障害	ささいなことでも自分で決めることができない。依存相手をつなぎとめるためなら自身のどんな犠牲もいとわない。
	強迫性 パーソナリティ 障害	極端に完璧主義で、細かいことに固執するあまり、融通が利かず非効率的。まじめで几帳面だが、変化に対応しきれない。

様々な障害

親から子へと連鎖する児童虐待

殴る、蹴るにはじまり、暴言や脅迫、性的虐待と、児童虐待の数は年々増えている。虐待する親の多くに、自身がかつて虐待された経験があり、親の病理が悲劇を生んでいるのだ。

毎年、過去最多を更新しているのが、全国の児童相談所が把握した児童虐待件数です。２０１８年度で16万件に迫り、４年間で2倍近くにも増えているのです。啓発活動により虐待への意識が高まったせいもあるでしょうが、通報や相談で児童相談所に連絡を取るのは氷山の一角であることを考えると、この数字の数倍を上回る虐待の数があることになります。

そもそも児童虐待とは何でしょう。殴る、蹴る、激しく揺さぶる、熱湯やタバコの火を押しつけるなど「身体的虐待」を思い浮かべる人が多いでしょう。しかし、こうした暴力行為だけでなく、暴言や脅迫、否定的態度により心的外傷を与える「心理的虐待」も虐待行為の1つです。また、のちのちまで、心の傷となるのが、性的行為の強要や性的写真を撮ったり見せたりするなど、子どもを性の対象にする「性的虐待」です。さらに、不潔な環境で生活させ、食事を与えず、学校へも行かせないなどの「ネグレクト」などがあります。こうした**児童虐待をする親自身が虐待を受けて育っていた例が少なくありません。**

また、虐待の珍しい例としては、「代理ミュンヒハウゼン症候群」が知られています。親が自分の代理として**子どもに身体的な害を与えて病人にし、看病をするけなげな母親を演じて周囲の注目を引こうとする**ものです。日本でも、福岡県で1歳半の女児に抗てんかん薬を与えた母親や、入院した娘の点滴に汚水を混入した岐阜県の母親の例などが知られています。

様々な児童虐待

①身体的虐待

殴る、蹴る、激しく揺さぶる、熱湯やタバコの火を押しつけるなど体への暴行。

②心理的虐待

暴言や脅迫、否定的態度により心的外傷を与える。

③性的虐待

性的行為の強要や性的写真を撮ったり見せたりするなど、子どもを性の対象にする行為。

④ネグレクト

不潔な環境で生活させ、食事を与えず、学校へも行かせないなどの養育放棄。

代理ミュンヒハウゼン症候群

かわいそうで立派な
母親としての評価
母親として評価
されないことへの
いら立ち
保護・介抱
加害・虐待
子どもに害を加えて病人にする

様々な障害

アディクションと依存症

人がハマるものは様々で、タバコやお酒などにハマる「物質嗜癖《しへき》」から、行為自体にハマる「プロセス嗜癖」、人との関係にハマる「人間関係嗜癖」などがある。

ある特定の刺激や快感を自ら進んで絶えず求めてしまう傾向を、アディクション（嗜癖）と呼びます。アディクションは、嗜癖の対象によって次の3種類に大別されています。

1つは、「物質嗜癖」で、アルコールやニコチン、カフェインや薬物など、物質を摂取することへの嗜癖です。こうした依存性の高い物質だけでなく、食べ物に物質嗜癖を感じると過食症になってしまいます。

行為自体に依存してしまう場合もあります。それが「プロセス嗜癖」と言うものです。代表的なのがパチンコや競馬といったギャンブルですが、買い物依存症やリストカット、万引きに、スマホやＳＮＳなども行為にハマるという点でプロセス嗜癖といえます。

また、人間関係にハマってしまうというのもあります。恋人や夫婦、家族など限定された人間関係に依存するのが「人間関係嗜癖」と呼ばれるものです。特にこの人間関係が両者ともに過剰に依存を深めていくと「共依存症」になりやすいのです。たとえば、ＤＶ（ドメスティック・バイオレンス）の彼氏と共依存関係になると、殴られても、いつもはやさしいし、私がいないと彼がダメになるからといってお互いに自立できなくなってしまいます（190頁）。

こうした様々なアディクションが起こる原因は、直面している現実やつらさからの逃避行動と考えられています。結局は、**依存症となって社会的な不適合を起こしてしまう**ことが多く、気をつけましょう。

アディクションの３つのタイプ

アディクション（嗜癖）

①物質嗜癖

物質摂取に依存

- アルコール依存症
- ニコチン依存症
- 過食症
- マリファナなどの薬物依存

↓

酒、タバコ、薬物がやめられない

↓

健康を害する

②プロセス嗜癖

行為に依存

- ギャンブル依存症
- 仕事依存症（ワーカホリック）
- 買い物依存症
- 万引き・盗癖
- スマホ・ネット依存症

↓

ギャンブル、買い物などにのめりこむ

↓

社会的に不適応

③人間関係嗜癖

人間関係に依存

- 共依存症
- 恋愛依存症
- セックス依存症

↓

パートナーとの関係に共依存

↓

自立できなくなる

Column 10

「精神のがん」から治療可能な病へ、統合失調症

「統合失調症」は、長らく「精神分裂病」と呼ばれてきました。かつては、薬物治療なども現在のように進んでおらず、患者さんの中には、まれに重大な事件を起こす人がいました。社会的にも注目され、「精神分裂病」が恐ろしい病気であるような偏見が生まれていたのです。こうした事件報道による偏見や名称が、もはや病状の実態とも合わないことから、2002年8月に「統合失調症」へと名称が変更されたのです。

症状としては、発病初期には幻聴や幻覚、被害妄想を抱くことが多く、情緒不安定になって、奇行をくり返すようになります。こうした明確な異変を「陽性症候群」と呼びますが、症状の進行とともに、表情がなくなり、感情の平板化が起こってきます。集中力が低下し、ものをまともに考えられなくなって、思考が貧困化し、意欲なども減退する「陰性症候群」が多く見られるようになります。こうして、だんだんと人格が荒廃していきます。いったん発症すると、治癒することはなく、症状が悪化していくことから、「精神のがん」とも呼ばれ、恐れられてきました。

また統合失調症のタイプは、大きく次の3つに分類されています。妄想や幻聴にとらわれる「妄想型」。意欲の減退や感情鈍化、自閉傾向が進む「解体型（破瓜《はか》型）」。そして、「緊張型」は、極度の拒絶や無言などの拒絶反応などがみられます。発症率は約1%で、思春期から20代にかけて発症することが多く、原因は不明ですが、現在では、抗精神病薬の投与で約4分の1が治癒するようになり、恐れるような病気ではありません。

Chapter

10

トラブルから守る心理学

〔自己防衛の知識〕

幸運や幸福もストレスだった!?

全くストレスのない生活も味気ない。適度にストレスがある暮らしがベストだが、不幸や災厄だけでなく、幸運や幸福も強いストレスになることを覚えておこう。

ストレスとは、環境適応のための防御反応で、その要因となるストレッサーを取り除くか、ストレスと感じないよう、意識を変えて、うまく付き合うことが大事です（216頁）。しかし、ストレスが全くないのもどうでしょう。

カナダの生理学者セリエは、ストレスを人生のスパイスにたとえています。ストレスのない暮らしは、スパイスのない料理のように刺激がなく、ストレスだらけの生活は、スパイスが効きすぎた料理のように食べることができないのです。つまり、**適度なストレスこそが、絶妙なスパイスのごとく生活に刺激を与えてくれる**のです。まさに名言で、ストレスが問題になるのは、強すぎるストレスが問題なのです。

では、人生、楽しいことや幸福なことばかりが起きていれば、強いストレスを感じないのでしょうか。

アメリカの社会生理学者のホームズとレイは、ある出来事によって、生活が変化したのち、その状況に適応するのにどれくらい大変かをイベントごとに点数化しました。これが、「社会的再適応評価尺度」と言うものです。過去1年間に起こったことを抽出し、項目合計点数が200～300点になった場合、その後の1年に、約半数の人がストレス症状に陥《おちい》る可能性があるとしたのです。地震になぞらえて、「**ストレス・マグニチュード**」とも呼ばれていますが、これによると、決して悲劇や災厄だけでなく、**幸運や幸福に関してもストレス源になることがわかっています。**

ストレスが高い、人生の20の出来事

社会的再適応評価尺度（ストレス・マグニチュード）

出来事	ストレス度
配偶者の死	100
離婚	73
夫婦の別居	65
刑務所入所・拘禁	63
近親者の死	63
自分のケガや病気	53
結婚	50
失業・失職	47
夫婦の和解	45
退職・引退	45
家族の健康上の変化	44
妊娠	40
性的障害（性生活の困難）	39
新しい家族ができる	39
ビジネスの再調整	39
経済状態の変化	38
友人の死	37
仕事の変更（転職など）	36
配偶者とのケンカ	35
100万円以上の借金	31

※色がついている項目は、一般的に良い出来事

アメリカの社会生理学者のホームズとレイは、過去1年間に起こった出来事のうち、ストレス度の合計点数が 200～300点の場合、約半数の人にストレス症状が表れる可能性があるとしている。

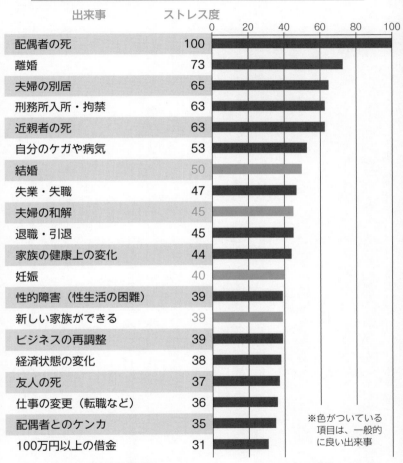

集団になると過激化するいじめの心理

教育現場から職場まで、いじめで自殺する人は後を絶たない。集団になると、エスカレートしていくいじめ。そこには、同調圧力や集団浅慮《せんりょ》など、様々な集団心理が関わっている。

毎年のように、いじめでなくなる子どもたちが後を絶ちません。さらに、最近では、職場でのいじめも注目されるようになっています。いわゆる、「**ハラスメント**」と呼ばれるもので、「嫌がらせ」と訳されることが多いのですが、これも一種のいじめで、精神的な嫌がらせ（モラル・ハラスメント）や地位を利用した立場の弱い社員への嫌がらせ（パワー・ハラスメント）、性的嫌がらせ（セクシャル・ハラスメント）などがあります。

教育現場から職場にいたるまで、なぜこんなにいじめがはびこっているのでしょう。心理学ではいくつかの説がありますが、有力な説に、「緊張理論」と「統制理論」があります。**緊張理論**とは、**自己の欲求充足を阻止するフラストレーション状態が攻撃衝動を生む**というもので、心理学者のダラードとミラーは「フラストレーション攻撃仮説」を唱えています。一方、**統制理論**では、攻撃衝動は社会規範や良心によって統制されているはずで、この**統制力が弱まると攻撃衝動が抑えられず、いじめに発展する**と考えます。

また、日本のように「集団の凝集《ぎょうしゅう》性」が高く「集団の斉一性」を求める同調圧力（98・106頁）が強い文化では、反対意見を圧殺し、個々人の思考よりも劣る不合理な「集団浅慮」（あるいは集団思考）に陥る危険性が高いといえます。いずれにしても、いじめは他人を傷つけることで少しずつ自分を嫌いになり、結局は自分をも深く傷つけてしまいます。

いじめのメカニズム

学校でも職場でも、いわゆる「いじめ」は次のような心理的な流れによって引き起こされるケースがほとんどです。

①攻撃性

他者への攻撃性、残酷さは動物がもともと本能的にもっているもの。

↓

②欲求不満

学校や家庭、職場などでの欲求が満たされず、不安や緊張でストレスがたまっていく。

↓

③攻撃動機

たまった欲求不満やストレスを、特定の誰かに向けて発散しようとする。

↓

④スケープゴートの発見

集団の同調圧力に従わない者、集団の基準からやや劣る者、はみ出る者など攻撃対象を定める。

↓

⑤攻撃行動

欲求不満を解消するため、言葉による攻撃や仲間はずれ、暴力などによる関係性攻撃で攻撃対象を痛めつける。

平気で迷惑行為をする人の心理

大声で話す女子高生、脚を広げて座る男性、化粧をするOL。公共の場である電車の中でも堂々と迷惑行為をする人々がいる。人はなぜ、こうした迷惑行為をするのだろう。

1位「座席の座り方」、2位「乗降時のマナー」、3位「荷物の持ち方・置き方」、4位「スマートフォン等の使い方」……。これは、日本民営鉄道協会が毎年行っているアンケート「駅と電車内の迷惑行為ランキング」（左頁）に登場する迷惑行為です。

なぜ、人はこうした迷惑行為を行うのでしょう。こうした反社会的な迷惑行為は社会学などでは「**逸脱**」と呼んでいます。逸脱の理論としては、前項でもふれましたが、**統制理論**が知られています。普段は、法や社会規範、良心などによって統制されていますが、この**統制力が弱まると逸脱行為が現れる**というものです。

心理学者のデナーズは、学生を対象に1人ずつ試験を受けさせ、終了のベルでやめるよう指示しましたが、監督官がいなくなると71％の学生が、ベルが鳴っても試験をやめなかったそうです。つまり、監督し注意する社会的統制がなくなると、個人の良心だけでは統制が弱く、人は逸脱行為を行うというものです。しかし、この理論だけでは説明できない事態も多く、**逸脱行為は、他者からの学習を通じて行われる（迷惑行為や犯罪は文化として学ばれ継承される）**とする「**文化学習理論**」や、逆に**社会統制を強めラベリングすることで逸脱が顕在化する**とする「**ラベリング理論**」などが知られています。

電車の中で化粧をしても怒られていないのを見て学習したとも、化粧は迷惑行為と誰かがラベリングしたため迷惑行為に認知されたとも考えられるのです。

電車の中での迷惑行為

日本民営鉄道協会は、最大3つまでとして、毎年迷惑行為のアンケートを行い「駅と電車内の迷惑行為ランキング」としてまとめている。下表は、2019年度版のランキングだ。

駅と電車内の迷惑行為ランキング（2019年度）

順位	迷惑行為項目	割合
1位	座席の座り方（詰めない・足を伸ばす等）	41.3%
2位	乗降時のマナー（扉付近で妨げる等）	33.2%
3位	荷物の持ち方・置き方	32.0%
4位	スマートフォン等の使い方（歩きスマホ・混雑時の操作等）	31.1%
5位	騒々しい会話・はしゃぎまわり	27.6%
6位	周囲に配慮せずせきやくしゃみをする	20.1%
7位	ヘッドホンからの音もれ	18.6%
8位	ゴミ・空き缶等の放置	12.5%
9位	酔っ払った状態での乗車	12.3%
10位	車内での化粧	11.4%
11位	優先席のマナー	9.9%
12位	電車の床に座る	8.3%
13位	決められた場所以外での喫煙	7.9%
14位	混雑した車内での飲食	7.4%
15位	電子機器類（携帯ゲーム機・パソコン等）の操作音	5.6%
16位	その他	5.5%
17位	混雑した車内で新聞・雑誌等を読む	5.5%
18位	特にない	0.5%

ご近所トラブルは縄張り争い？

人間関係が希薄化する現代では、騒音やゴミ出しといったご近所トラブルも増えている。お互いのテリトリー、「パーソナル・スペース」が侵されることがその原因かもしれない。

騒音や振動、ペットの排泄物《はいせつ》にゴミ屋敷など、大変なのがご近所トラブルです。そもそもご近所トラブルはなぜ起こるのでしょう。モラルが低いと言ってしまえばそれまでですが、ご近所トラブルの原因を心理学的に考えるとどうなるでしょうか。

問題の多くは、テリトリーの問題で、心理学で言う「パーソナル・スペース」（個人的空間）に関係していると考えられます。たとえば、騒音やペットの排泄物などは、いつも生活している自室や、いつもペットに散歩させる道端でのことで、個人の意識の中では、自分のパーソナル・スペースだと認識している空間内で普通に行っている行為なので、人が迷惑しているとは考えないのです。

一方、被害を訴える方は、安心してくつろいでいるパーソナル・スペースに、騒音が届くと、土足で踏みにじられたように感じます。それは普段散歩している場所にペットの糞が落ちていても同じで、騒音やペットの糞をどうにかしろと主張し、今度は相手の個人的空間内での行為を制限することになります。

こうして、動物でいえば互いに**テリトリー（縄張り）を侵された行為によって、近所同士がいがみ合っている**と考えられます。しかも、これに拍車をかけているのが、社会的統制力の弱さです。ご近所トラブルの多くが民事事件にあたるため、警察が踏み込んだ対応をせず、法が機能しないため、逸脱行為がエスカレートしていくのです。

様々なご近所トラブル

ご近所トラブルの原因には、騒音やペットの排泄物、ゴミ屋敷まで、様々なものがある。

人間関係が希薄化し、近所付き合いもなくなった状態で、迷惑行為をする人が出てきたり、互いのエゴがぶつかりあったりすると収拾がつかなくなり、トラブルが長期化する。

ご近所トラブルとパーソナル・スペース

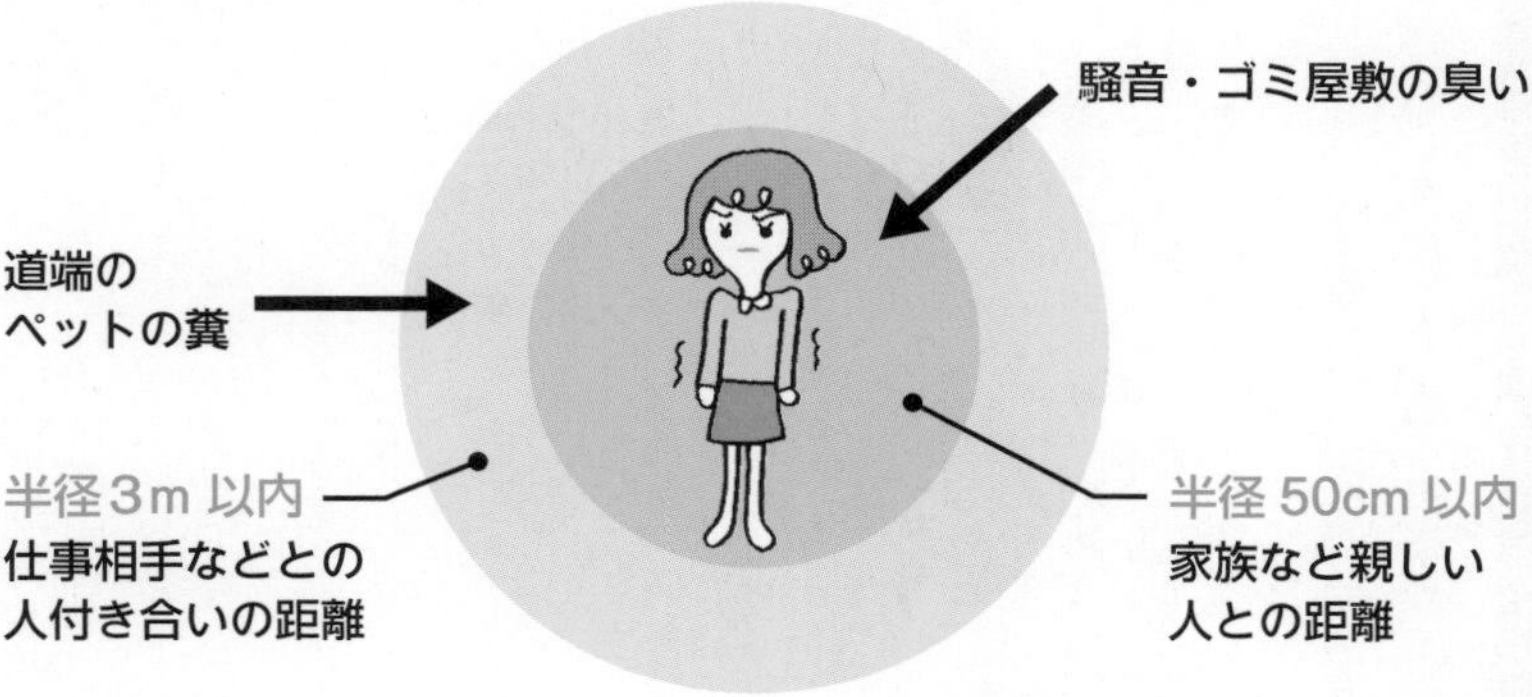
騒音・ゴミ屋敷の臭い
道端の
ペットの糞
半径3m 以内
仕事相手などとの
人付き合いの距離
半径 50cm 以内
家族など親しい
人との距離

人はみな、パーソナル・スペース（個人的空間）を保持している。相手によっても社会的な距離が決まっていて、これを侵されると不快に感じる。ご近所トラブルの原因の多くは、この領域を侵害する行為となっている。一方、迷惑行為を行う相手にとっては、自分のパーソナル・スペース内での行為で、これを制限されることが、領域侵犯と感じるのだ。

自己防衛の知識

モンスター化する人々

ストレス社会を背景に、クレーマーが急増している。モンスター・クレーマーの場合は、自らが受けた不利益に対してのクレームでなく、クレーム自体が目的の場合が多い。

ストレス社会を背景に、**モンスター・クレーマー**と呼ばれる執拗《しつよう》に不当な要求をくり返す人々が増えています。

クレーマーとは、そもそも自分が受けた不利益を補償してほしいと訴える人たちのことで、その意見は、新たな商品開発やサービス向上にとって有意義であるばかりか、クレーム処理さえ間違わなければ優良顧客となる可能性の高いお客様もいます（110頁）。

ただし、金品が目的の悪質なクレーマーは、結局のところ、言いがかりをつけて、高額な補償金をせしめようとしているのです。しかし、この場合も、毅然《きぜん》とした態度をとるなり、常識の範囲での補償をするなりすれば、あっさりと引き下がります。

ところが、モンスター化するクレーマーのケースでは、**クレームをつけて自分のストレスを発散することが目的**の場合があります。クレームをつけること自体が目的ですから、どんなに対処しても、クレームが終わることがありません。相手の挑発に乗らず、揚げ足を取られないようにしてやり過ごすしかないのですが、何度も電話をかけてくるなど、クレームの仕方が、社会的な常識を超えている場合は、威力業務妨害罪や脅迫罪での告訴といった手段も検討した方がいいかもしれません。

また、クレーマーの執着対象が、対応者本人である場合があります。**話し相手や恋愛対象を求めている場合が多く、ストーカー化する危険性**もあります。

目的によるクレーマーの違い

改善してほしい

自分が受けた不利益を訴えたいというまっとうな目的。改善案などを聞き取るチャンスがあり、有益な顧客。

金品が目的

お金が目的の客。目的が果たされれば、あっさり終わるケースが多い。ただし不当な要求に対しては毅然とした態度を取り続け、相手に付け入る隙を見せてはならない。

クレームが目的

やっかいな相手の1つ。クレームをつけること自体が目的なので、どんなに相手の話を聞いても、クレームが終わることはない。相手の挑発に乗らず、揚げ足を取られないようにしてやり過ごす。

かまってほしい

クレーマーの執着する対象が、金銭でもなければクレーム自体が目的でもなく、対応者本人である場合。話し相手や恋愛対象を求めている場合が多く、ストーカー化する場合も。

炎上、ネット中傷の心理

ネットで罵詈《ばり》雑言《ぞうごん》を書きまくる男が逮捕されてみると、ごく普通の人だったということがよくあるもの。誹謗《ひぼう》中傷に炎上、人はなぜネットになると暴力的になるのだろう。

ネットでの個人に対する誹謗中傷や、ネトウヨ（ネット上の右翼）による**ヘイト・スピーチ**が社会問題となっています。彼らは、自分の名前を名乗らず、匿名性を隠れみのにして、攻撃的な言動をくり返しているのですが、匿名であることによって攻撃性を増していることが心理学でも知られています。

スタンフォード大学の心理学者ジンバルドーは、被験者たちを3人組の2つのグループに分けて、サクラの生徒が間違った答えをするたびに電気ショックを与えるという実験を行いました。1つのグループは、名前で呼ばれ、名札もつけていましたが、もう1つのグループは、白衣やフードをかぶり、匿名にしたのです。その結果、名前がわかる場合の2倍も長く電気ショックを与え続けたのです。

このことから、**人は、匿名性が保障されていて、責任が分散されている状態におかれると、自己規制の意識が低くなり、「没個性化」が起こり、情緒的・衝動的・非合理的行動が現れ、期待される役割に応じて、攻撃性が高くなる**ことがわかったのです。さらに、その行動は、周囲の人に感染しやすくなるのです。

まさに、ネットの世界では、匿名性が保障され、複数の人間が書き込むことで責任が分散されています。こうした環境では、「没個性化」が起こり、自己規制意識が低減して、情緒性の高いヘイト・スピーチに感染していったり、投稿や書き込みで相手を誹謗中傷し炎上させたりする現象が起こるのです。

匿名の恐ろしさ

看守と囚人（スタンフォード監獄実験）

アメリカの心理学者フィリップ・ジンバルドーはスタンフォード大学で、被験者を看守役と囚人役に分けて心理実験を行った。その際、看守役がサングラスを、囚人役が目隠しをして匿名性を際立たせた場合、より残酷になることがわかった。

ネットでも働く匿名性と集団の心理

匿名性を最大限有効に使えるものの、デメリットも非常に多いのがネットの世界。匿名性が保障されていると、書いた内容や発言に対する責任を取らなくてすむと考えて自己規制意識が低減し、過激な誹謗中傷やヘイト・スピーチなどの投稿や書き込みで相手を徹底的に攻撃することになる。

職場では社交的

ネットでは会社の悪口

お互いに顔が見える職場などでは社交的な態度の人が、ネットではその相手を匿名で罵倒しているというケースも多々ある。また投稿を読む匿名の集団からの期待や煽《あお》りにより、その内容もエスカレートしがちである。

新聞よりSNSを信頼する心理

LINEやツイッター、フェイスブックなどのSNSに流れる情報の中には、明らかに間違っているものも多い。にもかかわらず新聞や専門家の意見よりも信用されるのはなぜだろう。

「有名人の○○はもう死んでいる」「○○のサービスが来月からなくなる」。ネットの世界では、根も葉もない情報が急速に広がっていきます。こうした根拠のない情報が「流言」と言われるものです。

オルポートらは、この流言の広がりを次のような公式で表しました。R（流言の広がり）＝I（情報の重要性）×A（情報の曖昧《あいまい》性）です。つまり、**「流言」は、情報が不足し、重要性が高まれば高まるほど、情報が曖昧であればあるほど広がります。**また、その内容は、詳細が失われ、短く要約されたり（平準化）、1つの要素だけが強調されたり（強調化）、伝達者の主観が介入して内容が歪《ゆが》められたりしながら（同化）、広がります。まさにネットの世界は流言の温床です。

しかしなぜ、テレビや新聞よりも、信憑性《しんぴょうせい》が低いとされるSNSの情報を信じるのでしょう。そこには、信憑性に関する次の効果が働いているからです。

ホヴランドらは信憑性の高い情報源と、低い情報源から同じメッセージを受け取った場合の態度変化を調査しました。直後の態度の変化は信憑性の高い情報源の方が大きかったのですが、4週間後には「忘却効果」により急速に低下します。逆に**信憑性の低い方は、4週間後には上昇しほぼ同じになった**のです。これが、「スリーパー効果」と言われるものです。

さらに、同じメッセージのくり返しは、「単純接触効果」により説得性が高まるので、**ネットのように大量の類似情報に触れる方を信用してしまう**のです。

オルポートらの流言の公式

$$R = I \times A$$

Rumor
流言の広がり具合

Important
情報の重要性（自分たちの生活に関係するかどうか）

Ambiguity
情報の曖昧性（曖昧であるほど確かめたくなる）

忘却効果とスリーパー効果

高い信憑性の発信

↓ 直後

態度の変化量大

↓ 4週間後

態度の変化量低下

忘却効果

低い信憑性の発信

↓ 直後

態度の変化量小

↓ 4週間後

態度の変化量増大

スリーパー効果

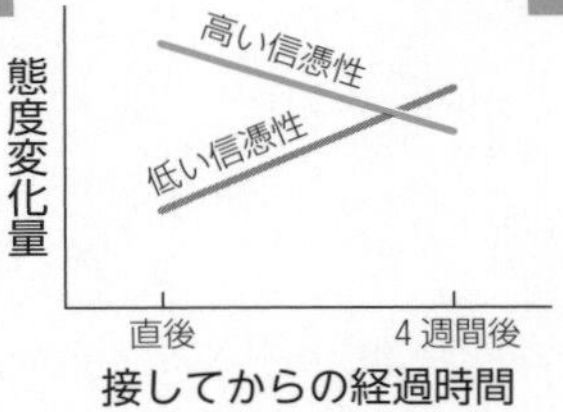

（出典）ホヴランド＆ワイス、1951.

⇔ ほぼ同じ値に

約1カ月たつと、両方の情報が同じ強さで記憶に残る

集団パニックはなぜ起こる？

災害や事故で、不特定多数の人々が危機にさらされたり、正しい情報が伝わらず流言やデマによって恐怖心を煽《あお》られると、人は、パニックに陥り、モッブと化して暴走してしまう。

震災や事故の際に怖いのが、**集団パニック**です。不安や恐怖で混乱し、正常な判断ができないため、死傷者を増やしてしまう可能性があるからです。

不特定多数の集団のもとで醸成される群衆に特有な心理のことを「**集団心理（群衆心理）**」と呼びます。集団になると、群衆の中の匿名性も手伝って倫理観や道徳心のタガがはずれ、助かりたい一心で身勝手な行動をとり、それが周囲に感染していきます。こうして「**モッブ（暴徒）**」と化した群衆が、さらに混乱を広めていくのです。このモッブは、ブラウンの分類によると、**災害から逃げようとする「逃走的モッブ」、テロやリンチなど暴力行為をする「攻撃的モッブ」、利益獲得行為に走る「利得的モッブ」、同じ意見や感情の吐露などを行う「表出的モッブ」に分かれます。**さらに、デマや流言（262頁）によって正しい情報が伝わらないと、ますますパニックが広がっていきます。

たとえば、１９７３年の豊川信用金庫事件では、信金に就職が決まった女子高生が友人から強盗などが入るから「危ないよ」とからかわれたことから、経営的に危ないと噂になり、「倒産する」「理事長自殺」といった2次的なデマまで飛び交い、約５０００人が押し掛けて取り付け騒ぎに。また、この年には、オイルショックによる物資不足が噂され、通産大臣が紙の節約を呼びかけたところ、紙がなくなるというデマが流れ、買い占めが起きます。これをマスコミが取り上げ、パニックは全国に広がり、紙の品薄を招きました。

伝染する恐怖心――集団パニック

曖昧で不確かな情報で不安感が広がっているところに、ささいなきっかけが引き金となり、助かりたい一心の人がとる身勝手な言動が、次々とほかの人々にも伝染していく……。

集団パニックの例

社会を構成する大勢の人間が、非常事態や社会不安などに直面したとき、集団で取る無秩序な行動が集団パニックだ。パニックを上手にコントロールできるリーダー的存在の人がいないと事態は混乱し、暴動などに発展するケースもある。

金融パニック

最近起こったものではリーマン・ショックがそれで、現在でもそのショックから脱せたとはいえない。大国がインフレを引き起こすと、金融不安は連鎖的に世界に広がっていく。預金を引き出すために預金者が銀行に殺到するなど、集団パニックを引き起こす。

トイレットペーパー騒動

1973年、オイルショックがきっかけで、物資不足を懸念した人々がトイレットペーパーを買い占める、という騒動に発展した。これは、当時の通産大臣が「紙の節約」を呼びかけたために流れたデマがきっかけだと言われている。

自己防衛の知識

マルチ商法にハマる心理

マルチ商法やネットワーク・ビジネスにハマる人がいる。最初は疑っていたのに、いったん納得して購入すると、まるで信者のように友人に勧誘していくその心理とは。

ネットワーク・ビジネスやマルチ商法にハマりやすい人たちがいます。そういった人の特徴は、被暗示性が高い人が多いと言われています。被暗示性とは、暗示にかかりやすいことで、**他人への依存傾向があり、権威主義的で、ブランドや学歴などに弱く、上昇志向が強い割に、受け身で、相談する人も少なく、意外と自尊心が低い**といった傾向があります。

たとえば、テレビのCMや雑誌の広告などを見ていると、商品が欲しくなってついつい買ってしまう人に多いといえるでしょう。また、タレントの○○さんも持っているとか、学者の○○先生が推薦などという権威づけにも弱いといえます。

また、ものごとを自分の都合の良いように考える傾向もあります。たとえばフェルスティンガーの認知的不協和理論（150頁）で言うと、「ビジネスは失敗するかもしれない」「失敗するビジネスに、私は関わらない」という矛盾する認知による不協和をなくすために**「成功するビジネスだから、私は関わるんだ」と思い込む**わけです。同じように「自分がいいと思ったのだから、人も買うはずだ」といった思い込みが働きます。さらには、**「ここまで時間をかけて話を聞いたのだから、試してみよう」と「一貫性の原理」で決めてしまう**のです。

一方、勧誘する側もプロですから、「好意の返報性」（126頁）やあなたは選ばれた人だといった「希少性」に訴え、様々な手法で勧誘してくるのです。

マルチ商法にハマるのはどんなタイプ？

マルチ商法にハマる人は、暗示にかかりやすい（被暗示性が高い）人で、以下のような特徴があります。

❶ 他人への依存度が高く、常に行動が受け身

❷ ブランド志向で「名前」に弱く、権威主義的

❸ 現状に満足できず、上昇志向が強い

❹ 自信がなく、自尊心が低い

ダマされる人とダマされない人の違い

ダマされやすい人

- 暗示にかかりやすい
- 何でも自分の都合のいいように受け止める
- 人を信用できないため相談する人もいない

ダマされにくい人

- 自分の価値観をしっかりもっている
- いらないものはいらないとハッキリ言える
- お金や物より大事なことがあると思っている

自己防衛の知識

振り込め詐欺に引っかかる心理

振り込め詐欺と呼ばれる特殊詐欺の被害者が後を絶たない。自分だけは大丈夫と考えている高齢者が多いが、そこには巧妙な心理的罠が仕掛けられているのだ。

金融機関は言うに及ばず、警察や各種マスコミがあれほど警鐘をならしていても、振り込め詐欺にかかる人が後を絶ちません。その理由は、巧妙に仕掛けられた心理的な罠が用意されているからです。

そもそも、ダマされた高齢者の方の多くが、「自分は大丈夫、そんな他人から電話一本でお金を振り込むことなどありえない。ダマされる人がいること自体、どうかしている」と思っていたのです。ところが、急に電話がかかってきて、身内が、交通事故や盗難、会社のお金の紛失や着服など、寝耳に水の話をされると、誰しもパニックになって頭が真っ白になります。つまり、極度の不安感や精神的ストレスによって、論理的な思考ができなくなるのです。

そこですかさず警官や弁護士、会社の社長など、権威的な人物に成りすました人物が登場します。すると、不安や精神的ストレスを解消したい欲求から、権威的な存在にすがってしまうのです。さらに最初から払えないとわかっている額を要求し、右往左往していると、減額して承諾させる「ドア・イン・ザ・フェイス・テクニック」（128頁）などを巧みに使ってきます。

人は、誰でもパニックになると、冷静にものごとを考えることは不可能です。**振り込め詐欺を防止する一番の方法は、気分を落ち着かせるためにも、誰かに相談することです。**犯罪者はそれをさせないために、様々な手を打ってきます。しかし、**いったん電話を切って、信頼できる人や警察に連絡しましょう。**

振り込め詐欺師の手口と被害者の心理状態

詐欺師のやり口	被害者の心理
思いもよらぬことを言って相手を動揺させる	「もしかしたらあり得る」と不安感を抱く
警官や弁護士など権威のある肩書を出す	「警官が言うことなら」と権威への信頼感による思考停止
いかにも実際にありそうな説明	「自分や自分の家族の落ち度ではないか」と不安をつのらす
「なんとかしないとやっかいなことになるので力になりますよ」と親切ごかしの言葉	「世間に自分や家族の恥が知られてしまうのは嫌だ、助けてもらおう」と信頼感が生じる
「これだけ払えばなんとかなりそうです」と具体的な数字を出す	「お金で解決できるなら」と話に乗る
「ただし急がないと解決できません」と決断を急がせる	「早く解決できるのであれば」と条件をのむ
「では私がこの金額で話をつけてきます」と振込額を下げる	「私に払える範囲であれば」と安心する
「ではすぐに振り込んでください」と支払方法を教える	「早く振り込んで早々に解決したい」と慌てて振り込む

ひっかかりやすい人

- 急なことに対処できず動転してパニックを起こしやすい
- 人を疑わず、論理的思考が苦手
- 名前や肩書など権威に弱い
- 見栄や世間体を気にして何でも丸く収めたがる

Column 11

人をいじめることで自分も不幸に

「情けは人の為ならず」と言うことわざがあります。「他人に親切にすると、巡りめぐって自分の為になる」という意味ですが、これは心理学的にも真実といえます。

なぜなら、人に親切にすることで、「自分は人の役に立てる存在で、まんざらでもない」と思えてくるからです。自分で自分のことを認め、かけがえのない存在だと思えることを「自己肯定感」と言います。「自己肯定感」が高まると、その結果、「私って幸せだな」という気持ち、心理学で言う「多幸感」を感じることができるです。実際、世話好きな人は、ポジティブで元気があり、幸せそうな人が多いです。他人の世話を焼くことが、自分は価値ある存在だとする自己肯定感につながり幸せを感じるのです。

では逆に「情けのない」人はどうでしょう。他人が困っていても無視したり、人をいじめたりする人は、自分自身を好きになれず、生きていること自体がむなしく思えてきます。私は、実際にそうなってしまった人を知っています。その人は時に親しくなった相手だけにやさしい態度をみせますが、他人に対しては徹底的に意地が悪く、敵視する姿勢を崩しませんでした。そして、何度もリストカットを繰り返していたのです。これは、他人に対する敵視が自分自身を敵視することにつながったのです。いじめっ子は、他人をいじめることで、少しずつ自分を嫌いになり、結局は自分自身を深く傷つけているのです。

主要参考文献　※順不同

植木理恵著『ビジュアル図解　心理学』中経出版　2013年

植木理恵著『フシギなくらい見えてくる！　本当にわかる心理学』日本実業出版社　2010年

植木理恵著『シロクマのことだけは考えるな！　人生が急にオモシロくなる心理術』新潮社　2011年

植木理恵監修『植木理恵のすぐに使える行動心理学』宝島社　2012年

植木理恵著『厳選コレクション　30分でマスター！行動心理学レッスン』宝島社　2013年

植木理恵著『男ゴコロ・女ゴコロの謎を解く！恋愛心理学』青春出版社　2011年

無藤隆ほか著『心理学 New Liberal Arts Selection』有斐閣　2004年

詫摩武俊編『心理学　改訂版』新曜社　1990年

金城辰夫監修　藤岡新治・山下精次共編『図説　現代心理学入門　三訂版』培風館　2006年

梅本尭夫・大山正監修編著『心理学への招待　こころの科学を知る』サイエンス社　1992年

渋谷昌三著『面白いほどよくわかる！心理学の本』西東社　2009年

渋谷昌三ほか著『手に取るように心理学がわかる本』かんき出版　2006年

齊藤勇著『今日から使える行動心理学』ナツメ社　2015年

齊藤勇監修『面白いほどよくわかる！職場の心理学』西東社　2013年

齋藤勇編『図説 心理学入門　第2版』誠信書房　2005年

菅野泰蔵監修『自分がわかる！相手がわかる！使える！心理学』洋泉社　2008年

松田英子著『図解 心理学が見る見るわかる「心」の働きを確かめるための78項』サンマーク出版　2003年

久能徹・松本桂樹監修『図解雑学　心理学入門』ナツメ社　2000年

大村政男著『図解雑学　心理学』ナツメ社　2006年

サトウタツヤ・渡邊芳之著『心理学・入門　心理学はこんなに面白い』有斐閣アルマ　2011年

青木紀久代ほか編著『カラー版徹底図解 心理学―生活と社会に役立つ心理学の知識』新星出版社　2008年

林洋一監修『史上最強　図解よくわかる発達心理学』ナツメ社　2010年

ゆうきゆう監修『「なるほど！」とわかる　マンガはじめての心理学』西東社　2015年

大井晴策監修『史上最強カラー図解 プロが教える心理学のすべてがわかる本』ナツメ社　2012年

植木　理恵（うえき　りえ）
1975年生まれ。東京大学大学院教育学研究科教育心理学コース修了後、文部科学省特別研究員をつとめ、心理学の実証的研究を行う。日本教育心理学会において最難関の「城戸奨励賞」「優秀論文賞」を史上最年少で受賞。慶應義塾大学理工学部で講師を、都内総合病院にて心理カウンセラーをつとめる。
著書に、『図解　使える心理学』『ゼロからわかる　ビジュアル図解　心理学』（以上、KADOKAWA）、『脳は平気で嘘をつく　「嘘」と「誤解」の心理学入門』（角川oneテーマ21）、『賢い子になる子育ての心理学』（ダイヤモンド社）、『「やる気」を育てる！～科学的に正しい好奇心、モチベーションの高め方』（日本実業出版社）、『幸運を引き寄せる行動心理学入門』（宝島社）など多数。

図解《ずかい》　使《つか》える心理学大全《しんりがくたいぜん》

2020年３月12日　初版発行
2022年５月25日　６版発行

著者／植木《うえき》 理恵《りえ》

発行者／堀内 大示

発行／株式会社KADOKAWA
〒102-8177　東京都千代田区富士見2-13-3
電話　0570-002-301（ナビダイヤル）

印刷所／図書印刷株式会社

本書の無断複製（コピー、スキャン、デジタル化等）並びに
無断複製物の譲渡及び配信は、著作権法上での例外を除き禁じられています。
また、本書を代行業者などの第三者に依頼して複製する行為は、
たとえ個人や家庭内での利用であっても一切認められておりません。

●お問い合わせ
https://www.kadokawa.co.jp/（「お問い合わせ」へお進みください）
※内容によっては、お答えできない場合があります。
※サポートは日本国内のみとさせていただきます。
※Japanese text only

定価はカバーに表示してあります。

©Rie Ueki 2020　Printed in Japan

ISBN 978-4-04-604739-7　C0011